孩子学钢琴 父母先上课

——旅美钢琴家茅为蕙与琴童父母的一席谈

[美]茅为蕙 著

广西科学技术出版社

图书在版编目（CIP）数据

孩子学钢琴，父母先上课——旅美钢琴家茅为蕙与琴童父母的一席谈／（美）茅为蕙著.
—南宁：广西科学技术出版社，2011. 10
ISBN 978-7-80763-665-6

Ⅰ．①孩… Ⅱ．①茅… Ⅲ．①钢琴演奏—儿童教育 Ⅳ．①J624.1

中国版本图书馆CIP数据核字（2011）第161942号

HAIZI XUE GANGQIN, FUMU XIAN SHANGKE——LÜMEI GANGQINJIA MAO WEIHUI
YU QINTONG FUMU DE YIXITAN

孩子学钢琴，父母先上课——旅美钢琴家茅为蕙与琴童父母的一席谈

作　　者：[美] 茅为蕙	装帧设计：卜翠红
策　　划：耳　尔	责任印制：韦文印
责任编辑：聂彩霞　张　俊	责任校对：曾高兴　田　芳
责任审读：张桂宜	特约编辑：安　澜

出 版 人：韦鸿学　　　　　　　　　　　出版发行：广西科学技术出版社
社　　址：广西南宁市东葛路66号　　　　邮政编码：530022
电　　话：010-85893724（北京）　　　　0771-5845660（南宁）
传　　真：010-85894367（北京）　　　　0771-5878485（南宁）
网　　址：http://www.gxkjs.com　　　　　在线阅读：http://www.gxkjs.com

经　　销：全国各地新华书店
印　　刷：北京盛源印刷有限公司
地　　址：北京市通州区漷县镇后地村村北工业区　　邮政编码：101109
开　　本：760mm×1336mm　　1/24
字　　数：100千字　　　　　　　　　　　印张：9.5
版　　次：2011年10月第1版　　　　　　　印次：2011年10月第1次印刷
书　　号：ISBN 978-7-80763-665-6/G·219
定　　价：35.00元

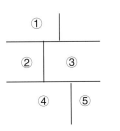

① 小时候参加钢琴演奏会。

② 帅气的小小提琴家。

③ 顽皮、洋气的我。

④ 第一次在钢琴比赛上得奖，
前排左三是我。

⑤ 领取金鸡奖时演奏钢琴。

①	②
③	④
⑤	⑥

① 从小就是个动情的小钢琴家。

② 第二部电影《等到满山红叶时》剧照。

③ 获得首届"电影金鸡奖"最佳女配角奖。

④ 第五部电影《一盘没有下完的棋》剧照。

⑤ 第一部电影《从奴隶到将军》剧照。

⑥ 第三部电影《巴山夜雨》剧照。

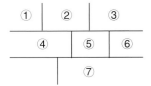

①	②	③
④	⑤	⑥
	⑦	

① 3岁拿起了小提琴。

② 14岁初次登台：一个改变我人生的时刻。

③ 第一次在美国登台，不忘穿中式演出服。

④ 大学毕业，与父母合影。

⑤ 和爷爷及爸爸妈妈珍贵的合影留念。

⑥ 博士毕业典礼上，和骄傲的爸爸一起。

⑦ 在我的婚礼上，老公、我和爸爸妈妈共享幸福时刻。

　　作为一名极具感染力的演奏家，茅为蕙博士的足迹已遍布全世界近百个城市，与五十多个交响乐团合作演出。近年来，茅为蕙频繁地活跃在中国的音乐舞台上，在各大城市演奏的同时开设大师班，传授她独特和新颖的教学理念。

致谢

送给爸爸——您是我天底下最佩服的人！您给我的灵感我一辈子用之不尽，谢谢您的真诚，坦荡，智慧，和基因！

送给妈妈——一个为了我放弃了一切的伟大母亲。无论我多么努力，也永远不能模仿到您百分之一的真谛，善良，无私和高尚！

For John —— You are the inspiration of everything I do and everything I am, of course including making of this book. Thank you for being there for me during all those late nights and bringing me our favorite drink… My love for you is immeasurable, my love for you is unending…

我不再有顾虑

还记得第一次听到女儿在钢琴上用她娇小的手指弹出的琴声，伴随着的还有我太太耐心的指导和刻意的"吹捧"。我在隔壁房间暗暗地问自己：不知钢琴是否能陪伴她一生？

现在的为蕙已是一个年过三十的成人了。在她生命里，除了钢琴还是钢琴，不论是练习、演奏，还是教书，她的世界里每分每秒都和钢琴、和音乐紧密联系着。钢琴，名副其实地，彻头彻尾地，不可扭转地正在陪伴我女儿的这一生。

6岁时的女儿莫名其妙地因为拍了几部电影而红遍全中国。记者天天把我们家堵得水泄不通，小为蕙走在中国任何一个城市的马路上都能引来围观的群众。当她大红大紫的时候，我和她的妈妈很担心她将不愿意从夺目的荧光灯下再走回到单调的琴房里。她会从此放弃钢琴吗？

当她以优越的成绩击败众多琴童考取了上海音乐学院附属小学，用最坚定的口吻告诉我们："我终于考上了！！我太伟大了，再也不拍电影了。"我知道我们的担心是多余的，为蕙给了我们一个满意的答案！

女儿14岁第一次登台，与上海交响乐团合作。音乐会之前她天天狂练十几个小时，除了说明她很勤奋，很能吃苦以外，我更知道她有多么紧张。我比她更紧张地坐在上海音乐厅的观众席里，频频问自己：不知她能否承担这种压力？如果今天失败了，会不会影响她一生的演奏事业？

当为蕙从容地走上舞台，像大人一样地鞠躬，陶醉地、完整地，甚至是激情澎湃地演奏了拉赫玛尼诺夫第二钢琴协奏曲，随后又成熟地与指挥拥抱，赢得了阵阵喝彩时，我所有的担心都烟消云散了。我的女儿，已经是一个离不开舞台的钢琴家了！

在我的预料之中，为蕙顺利，应该说是轻松地在美国南加州大学拿到了音乐艺术博士学位。她经常说这是茅家的基因好，所以她不笨……我欣然接受这种理论……成了"茅博士"后的为蕙除了弹琴，她教琴的担子也越来越重了。她虽然两者都喜欢，都不愿意割舍，但做家长的我还是担心：她能自如地胜任两者吗？会因为做两件事而一件都做不好吗？

至今为止，只是在中国为蕙就已经去过了大小四五十个城市。每到一处，她又弹，又教，又说。女儿的"粉丝"们一致公认她是一个"教的也一样棒的好演奏家"。她的教与她的弹一样让人难忘，让人振奋。我除了为她高兴以外，没有了任何顾虑。

几个月前为蕙兴奋地告诉我们，她要写一本书，一本关于琴童学琴的书。她说她走遍中国，见到过许多家长，听到过许多问题，也有过许多思考。她要把所有的想法都写下来，和家长们好好聊聊……

这次我不再有疑问，不再有顾虑。因为我知道我的女儿，我的为蕙：她想做的事，她一定会做好！她会把她所有的爱，所有的情，所有的智慧和经验，都毫不保留地献给她的读者。

我为我的女儿自豪，为黑白琴键上的五彩缤纷动容，为本书的读者朋友们庆幸！

茅于润

（茅于润，上海音乐学院作曲系教授，美国杨佰翰大学客座教授。早在40年代便获得美国朱丽亚音乐学院小提琴表演硕士学位，和美国哥伦比亚大学英国文学硕士学位。翻译著作包括《音乐语言》、《音乐欣赏》和《简明不列颠百科全书》等几十部。）

序

此书为谁写

写书是我多年来的一个遥远的梦想。总觉得自己有很多话要说，想说给很多人听，但又不是很了然该说什么，读者到底是谁，此书为谁而写。

与钢琴结缘三十余年，弹钢琴和教钢琴几乎占据了我所有的兴趣、精力和时间。写钢琴——这还是头一次，是这几年才萌生的念头。

从自己童年学琴，少年出国，青年时深造，在世界各地参加比赛，成为一名职业钢琴家，直到2002年，从南加州大学取得博士学位，并受聘任教，我接触的都是非常专业的人士，都是些除了钢琴什么都不知道的"琴呆子"，探讨的都是在行外人看来非常高深和"虚无缥缈"的音乐哲理；争论的都是关于某一首乐曲中的某一句的触键深浅问题。总而言之，我所习惯的话题都是些旁人看来很不能理解、很没有必要，但讨论者们又觉得很有品位、很另类、很能显示自己水平的话题。

自从我开始接受国内各大音乐学院的邀请，频繁回国讲课、演奏以来，特别是2009年起在青岛、大连等城市设立我的钢琴艺术中心和钢琴工作室，和国内的琴童老师、琴童家长有了非常深入的接触后，我意识到了一个新的理念：钢琴大部分的时间是为"听不懂"的人而弹，讲话的目的是让大家从不懂到懂。如果一个艺术家老是把自己关闭在一个阳春白雪的阁楼里不和大家交流，他永远不会受到真正的爱戴！

中国有千千万万的琴童，有人数更为可观的琴童家长。当我有了更多和他们接触的机会之后，我体会到了他们在孩子学琴经历中感受到的喜怒哀乐。家长们想了解的不是非常高深的学术理论，也不是只有最顶尖的那一小批钢琴家才会遇到的境况，而是每一个初学钢琴的孩子都会碰到的共同问题。孩子们为什么要学习钢琴？怎样才能找到最适合自己的钢琴老师？孩子的家长如何督促孩子练琴？钢琴考级究竟有什么意义？弹钢琴，当不了职业钢琴家怎么办……这些话题看来简单，却能引来不简单的对话！

我们国内现在不缺顶级的钢琴家开演奏会，但一个世界著名钢琴家对儿童钢琴教育领域内的问题，未必有兴趣，也未必有经验；国内也有不少优秀的钢琴教师，很能教"如何动手指"，但不懂得如何触及到孩子的思想、灵魂和心灵。当然，我们也有很多儿童教育专家和儿童心理学家，提出了颇有建树的教育理论，但是，钢琴教育毕竟是个专业性很强的事情，他们对此又未必了解得那么透彻……

这几年在国内的巡讲和音乐会巡演中，对这些现象观察得越多，思考得越深入，我就越发觉得，我应该为学钢琴的孩子们做些事情。我是钢琴家，又在音乐学院任教，在钢琴教育这方面，这几年又有丰富的和一线老师和琴童们打交道的经验，再加上，在中国和美国之间穿梭的我，又非常关注国际上先进的钢琴教育理念和方法的发展，我觉得我有能力也有责任做些什么。

孩子学音乐这件事，在他的一生中不能说是最大的，但也绝不是最小的。孩子每天坚持练琴是创造良好学习习惯的开始；孩子接触音乐是走进艺术殿堂的第一步；孩子上台演奏是提高他自信的最有效法宝；孩子终于爱上钢琴是他已得到了一生的挚友和永久的寄托；孩子能充满想象力和感染力地演奏一首乐曲是他性格的改变。

在这本书里我没有用深奥的语言，字字句句都是我的心里话，说的就是如何让孩子更有效地学琴，幸福地长大，如何让家长更深入地帮助，正面地扶持。此书为琴童而写，为家长而写，为黑白琴键给我们带来的彩色人生而写。

茅为蕙

前言

我是一个选择不要孩子的女人，因为我不敢面对做母亲所必须具备的无私、忍耐、忘我的奉献精神和一辈子无止境为孩子操心的决心。为人父母不容易，为人父母太伟大。虽然我不是母亲，或者正是因为我不是母亲，我对天下千千万万的父母充满着由衷的敬佩！

因为我的职业，我在国内遇见过许许多多的琴童和他们的家长。从南到北，从大城市到小县城，从博士教授到蓝领工人，无一不让我看到了中国的琴童家长对孩子学习音乐的无私奉献，对孩子成功未来的迫切期待，和对孩子"该如何学琴"的迷茫、困惑、不解，甚至于挣扎。每到一处，家长们（90%是妈妈们）都会有很多问题问我。有的问题很有思想，耐人寻味："我的女儿性格很内向，学音乐能帮助她开朗一些吗？""学钢琴真的能让我的孩子更聪明吗？"……有的问题让我啼笑皆非："我的儿子想做下一个郎朗，每天练几个小时琴他就能做到？""孩子不肯练琴，我们就打，是否不该打手？"让我最难忘的问题是："茅老师，你考过了钢琴10级吗？"

　　问题是没有对错的，但答案就不同了。对待每一个问题我都尽我的全力来找一个负责、真实、不落俗套和没有废话的答案。琴童家长问我问题是对我的信任，我要对得起这份信任。一直想找个机会把这些问题和答案都记录下来，希望家长们能通过这些话题意识到自己的困惑并不单一，孩子的缺点也并非偶然。

　　感谢广西科学技术出版社给了我这个机会，让我通过这本小书，和众多家长能不出家门就促膝长谈！我要在这里可能是第一百多次地向本书策划耳尔说谢谢：你我认识虽是偶然，但互相欣赏却是必然。你是少有的几个真正懂我的人之一，这本书就是最好的见证。本书的责任编辑张俊，她也是一位琴童的家长，谢谢你慷慨地给了我这么多心得和启发。我还要谢谢特约编辑安澜：为了我们无数次的夜间电话会议，无数次的互相启发，和你无限的才能！

　　本书阐述的是我个人的一些经验和见解，虽然未经严密的科学推理或专家论证，但充满了我对家长们的理解和对孩子们的关爱！人生之路看似漫长，却又短暂，时而平坦，时而曲折。音乐确是一份永久的依赖和寄托，不分贵贱，不需语言，不会过时。祝愿每一位琴童能快乐学琴，幸福成长，享受音乐，领略到人生的五彩缤纷。

茅为蕙

目录

第 2 章

八十八个琴键，十个弱小的手指

第4章　黑白键上的童年

下篇　开启音乐人生（收获篇）

第5章　做钢琴家还是钢琴爱好者

第6章 当个快乐琴童比争取做未来的郎朗更重要、更实际

上篇

钢琴与成长

（入门篇）

音乐自稚嫩的指尖流淌出，成为爸爸妈妈心中最动听的旋律。学钢琴，这几乎是每位家长都曾经为孩子考虑过的选择。也许在你们的心中，总有那么一幅画面：穿着如同小王子或是小公主的小宝贝，在舞台上流畅地奏完一首动听的乐曲，然后，优雅地起身鞠躬；然后，掌声四起。

这幅美好的画面，是作为开启孩子钢琴学习的第一页。

然而，美好的愿景与现实往往是两回事。翻开五彩的封面以后，在黑白琴键的世界里，有许多事情是家长在送孩子去第一堂钢琴课之前必须想到和了解的。

在这一篇里，我们一起来分享钢琴入门时的注意事项。从音乐胎教到坐在钢琴前用小手弹奏出人生第一个音符的过程中，有些问题可能你已经有所接触，有些可能你从未想到过：音乐胎教到底是什么？在学钢琴之前要带孩子做哪些准备工作？为什么选择学钢琴而非其他乐器？培训中心怎么选？钢琴老师怎么挑？该不该请陪练？

如果准备把小宝贝送去学琴，或者已经家有琴童，那你我的谈话可以正式开始了。

第1章　音乐人生，从正确选择开始

　　无论是纯粹地想要通过钢琴认识音乐这种无国界语言的美，还是现实地考虑到孩子从幼儿园开始就可能面临的激烈竞争，一个毋庸置疑的事实就是，越来越多的中国孩子开始学钢琴！中国琴童之多远超世界其他国家。《纽约时报》对此曾有报道，里面有句很有意思的话："在中国的大城市，周六日，走在街上的孩子如果没有背着小提琴，那他就是在去学钢琴的路上。"

　　在牵着孩子的小手，带他走近钢琴之前，我希望每位家长都认真地思考以下几个问题：我为什么要让孩子学钢琴？我的宝贝具备钢琴潜质吗？如果孩子没有展示出明确的钢琴气质，我又该如何引导、发掘？如果孩子不想当钢琴家，今后的学琴之路又应该如何走？

第一节　父母为孩子打开音乐之门

在弹奏出第一个琴音之前，家长就应该重视起对孩子的音乐教育。从胎教音乐到音乐早教课，都是为了让孩子在弹奏出第一个琴音前，牵着他的小手往音乐道路上健康、幸福、自信地走下去。

※ 音乐胎教不仅是为了培养孩子的乐感

胎儿和妈妈一起享受音乐时光，从生理和心理角度，对两者都有好处。虽然科学研究还没办法给出详细的数据，但，正面评价是公认的。

我妈妈是位小学音乐老师，她特别强调音乐对儿童智力开发的作用，在她的影响下，我们早已打定主意要用音乐培养出一个聪明的孩子来。

准备怀孕的时候，我们已经特别注意，除了坚持健康饮食、锻炼身体外，听音乐都专门听节奏明朗能让情绪愉快的。等怀上孩子后，老公更是把家变成了一个处处皆有音乐的地方。为了照顾我呼吸新鲜空气，还专门在家里的小花园安装了草地音箱。我从怀孕4个月开始，每天早晚两次，不管手上有什么事情都放下，保持心情愉悦，坐到花园里的摇椅上，和宝宝一起听莫扎特——这也是我妈妈强烈建议的，说全世界的胎教音乐最好的就数莫扎特了，这是经过科学研究证实的。等到孩子7个月开始乱踢我的时候，我们的音乐教育又加了一项内容，每天晚上都和老公一起唱童谣给他听。不知道是孩子原本就聪明还是这样做有效果，反正孩子的表现真的很优秀，儿子出生后，前两个月当然和别的小朋友差不多，就吃吃睡睡，等到三四个月的时候，区别就显出来了，他活泼但不闹人，听见音乐声眼睛就滴溜溜四处转，只要给他放莫扎特，他哪怕正在哭，不到一分钟，也能立刻安静下来注意听，比同龄的宝宝省心多了，我妈简直就把我儿子当成活榜样了，我也经常把这段经历说给和儿子一起学琴的其他孩子的妈妈听，她们一边羡慕一边又表示有点怀疑，音乐胎教真有那么神奇？

　　这位妈妈的描述有点夸张了，也许，她是为了让老师对孩子的音乐天分有更深刻的印象。后来，经过简单的测试，也证明4岁不到的这位小朋友，对旋律和节奏都有很好的感觉，虽然这样并不就能证实妈妈"他就是钢琴神童"的论点，但音乐胎教的好处，的确早已得到公认。

　　当一段优美的旋律被反复播放时，还在妈妈腹中的胎儿会对此有所反应，胎心增快，胎动增加。音乐训练有助于开发主观形象思维的右脑，即使在胎儿时期，也能够产生这种刺激。而每天固定时间倾听美好的音乐，也能够让准妈妈拥有一段松弛愉悦的时光，从生理和心理角度来说都有好处。

但任何事情都是有度的，音乐胎教固然有用，但神化它就完全没必要。目前还没有什么科学研究，能够用绝对可信的数据分析出音乐胎教的效用模式，只是通过一些实验来推断。所以，不要过度迷信，明明对音乐没兴趣，还硬是勉强坐在那里听，欣赏不到美反而给自己增加了负担。要是这样，还不如去做些自己真正感兴趣的事情，把音乐当成背景就好，这样放松的情况，或者更利于肚子里的宝宝聆听音乐。总之，把听胎教音乐当成享受而非任务，这才是合理的态度。

琴童小词典：经典胎教音乐曲目介绍

1. 肖邦的《流畅的行板》

经典的钢琴演奏曲目，抒情而俏皮，是肖邦作品中广为人知的钢琴小品，即使只有几分钟余暇，听听也会非常享受，是相当不寻常的设计，但在《流畅的行板》中所蕴含的诗情画意，却又如同肖邦其他的钢琴小品一样美妙无比。

2. 勃拉姆斯的《摇篮曲》

恬静、优美的旋律犹如一首缓缓读出的诗，深沉的母爱非常具有感染力，对准妈妈来说特别具有意义。

3. 莫扎特的《单簧管五重奏》

单簧管的安详音色能够瞬间安抚急躁的心情，让妈妈和胎儿都平和安静。

4. 德沃夏克的e小调第九交响曲《自新大陆》第二乐章

整部交响曲中最为有名的乐章，从第一主题的美妙情趣的慢板，到精彩优美的第二主题，再转为明快而活泼的第三主题，极具欣赏性，而且相当能够调动聆听者的情绪。

5. 巴赫的《小步舞曲》

活泼明朗的快节奏，让心情情不自禁地好起来，圆润饱满的氛围非常适合准妈妈聆听。

6. 舒伯特的《小夜曲》

甜美的情绪回荡其中，少女的初恋美感通过音符表达出来，是非常愉悦又动听的节奏。

❉ 胎宝宝为什么喜欢听莫扎特

为什么很多的胎教音乐是莫扎特，而不是贝多芬或其他音乐家的曲子？也许一些细心的妈妈发现了这个问题。难道胎教音乐不能随便听吗？胎教音乐的选择，要遵守一定的原则，胡乱听还不如不听。

知道自己怀孕了，高兴完了立刻就拉着老公去买胎教CD，我平时就是个古典音乐爱好者，也一定要把这种美的享受从小就带给我的孩子。结果老公开车带我逛遍了所有的唱片行和购物中心，发现十家里有十家推荐的都是莫扎特！天哪，我觉得莫扎特当然很好，但真的有这么压倒性的优势吗？我自己更喜欢李斯特、勃拉姆斯的作品，家里的CD也以他们俩的为多。为什么所有的胎教中心都推荐莫扎特，这有什么讲究吗？

我在网上查了，也发现有所谓的莫扎特效应的说法，但我并没有找到什么特别有科学依据的理论，只是通过现象总结出这样一种结论。我虽然愿意为孩子多听听莫扎特，但如果能两全其美岂不是更好？从道理上来说，胎教音乐不是只要旋律动听，让人心情愉悦放松就可以吗？要不然，难道在莫扎特出生之前，所有的准妈妈都不听音乐？像我有个朋友，她喜欢听民乐，怀孕期间听的都是古琴曲，也听得很开心啊。孩子出生以后虽然没表现出什么音乐天分，但至少健康活泼又可爱，我能不能按自己的喜好选胎教音乐？

一提到胎教音乐，莫扎特几乎是全世界通用的选择。为什么是他？这当然不是胡乱选的，并非因为莫扎特是神童，就要给未来神童们听他的曲子。而且，不仅仅是胎教音乐，对刚开始学钢琴的孩子来说，莫扎特的曲子也是应该经常听的。因为他的作品，旋律性非常明显，和声非常和谐。它有着出色的韵律、曲调、频率、节奏，并且，纯净而简洁，最适合孩子启蒙时听。相反，贝多芬晚年的曲目就有点激烈，比如第五交响乐章中的"命运在敲门"的主题，贝多芬想表达的那种情绪孩子怎么会懂呢？当然，莫扎特不是唯一，其他的作曲家也有不少曲子适合胎宝宝听，比如，勃拉姆斯的《摇篮曲》就是非常经典的胎教音乐曲目。

伊利诺伊大学医疗中心曾经进行过一个试验，结果发现，莫扎特的音乐，每30秒有一个频率高峰，而大脑中枢神经的许多功能运行，频率也是30秒左右。也许，这能解释"莫扎特效应"的存在。

　　话说回来，不管听不听莫扎特，音乐胎教所选用的曲目，一定要是专业人士鉴定过的。爸爸妈妈不要依据自己的喜好乱选。就算是正规出版的音乐胎教教材，爸爸妈妈也要注意以下几点：它是否旋律优美让人心情放松？它是否有舒畅的节奏？它所体现出来的情绪是否明快、温暖？如果有一点不符合也要放弃，宁可错过，不可错听。

琴童小词典：莫扎特效应

　　莫扎特效应(Mozart Effect)是指个体在聆听莫扎特奏鸣曲后立即显现在视觉空间推理测验分数上的提高。在儿童教育领域，一些专家发表了自己的研究成果，认为听过莫扎特音乐的孩子，大脑活动增强，思维更敏捷，行动更有力，性格更开朗。虽然目前没有非常权威的数据能够证明莫扎特效应，但绝大多数教育专家都认为莫扎特音乐出色的韵律、曲调、频率、节奏和它的简洁与纯净，对于开展儿童早期音乐教育是非常适宜的。

❀ 钢琴亲子早教课让孩子走进音乐世界

　　一边寻找合适的亲子音乐一边寻找合适的亲子音乐课程，一边通过日常生活把音乐教育点滴灌输给孩子，父母的积极姿态会帮助孩子，让将来的他们拥有真正的音乐人生。

　　我在外企做主管，重大的项目我们会有非常完整的计划，从前期的市场调查到后期的客户回馈分析，这样事情做起来才有据可依，执行出来的效果分析起来也能够一一推导出是哪个环节起的作用，下次做类似的项目还可以参考。

　　在孩子学琴这件事情上，我觉得也应该参考工作方式，制定一个全盘计划。从孩子出生到他真正上琴之前，要有一个系列的培训课程。总不能让一个从没见过钢琴的孩子去上钢琴课吧，在那之前我认为有很多事要做。但，我困惑的是，究竟要做什么呢？制定营销计划我有经验，毕竟隔行如隔山，在学钢琴这方面我懂得不多，不过，根据常理推测，我觉得至少应该有一些相关的音乐入门课程、游戏，还有一些有关钢琴的介绍，听老师讲讲音乐家的小故事，通过唱儿歌来培养小朋友基础的乐感这些，为此，我注册了不少英文的音乐教育网站，发现这方面的内容相当丰富，而且，很多著名的教育网站还有自己编制的教材，但它毕竟在国外，在国内，这方面的东西特别缺少。我在北京问了不少亲子中心和音乐培训学校，都说没有这种课程，只是建议家长在家里多给他放放古典乐曲什么的。我们现在能做的，也只是多给他听听钢琴曲。其实很着急的，这种空着急有办法解决吗？

从孩子出生，到他4岁能够开始学习钢琴之前，家长们还能做些什么？许多家长能做的，除了给他多放一些古典音乐的CD，别的就什么也没有了。听是很重要的，让他在生活里处处感觉到音乐的存在很好，但只做这个未免有缺憾。在孩子弹出第一个音符之前，我们应该做的有很多。这点，其实很多家长也意识到了。但需求有了，供应暂时还没有很好地跟上配套，所以，家长们难免有着急的感觉。

这种着急，我很能理解。在国内，我经常去各个城市的钢琴学校给老师们做培训，感受很深的一点，是我们缺少好的亲子音乐课程。不是我们不需要，而是需要，但没有。我曾经简单地尝试过滚球游戏。"1、2、3"，我用三拍把球滚给对面的小朋友，"1、2、3"，再让孩子用同样的节奏把球滚回来。这个游戏的过程，就是对孩子节拍和速度反应的训练。孩子们玩得非常高兴，而且，他们越玩越上瘾，对节奏的掌握也越来越熟练。

在国外，这类成熟的亲子音乐课程有很多，它的内容包括：孩子和妈妈一起唱、滚、跳、走；母子一起听录音；一起玩有节奏的音乐游戏等，非常轻松有趣。家长和孩子一起玩，既是亲子活动又是音乐教育。比如，放一个动物的叫声录音，让小朋友分辨，这是大象叫的声音还是蛐蛐、小鸟叫的声音。大象的声音低沉又缓慢，蛐蛐的声音比较急促，而小鸟的叫声则清脆婉转，从这些孩子感兴趣的声音开始，让他对声音轻响、高低、快慢、音区表现有基础的认识。慢慢地，我们可以反过来教孩子们联想。像小动物的叫声，往往是和轻快的节奏连在一起的，而大型动物的叫声则比较沉重。钢琴上左手低音区的音，我们可以说这像老虎在走，让孩子对声音的表现有一个基础的认识。音乐教育不光是听，也可以在运动和游戏中进行。比如上面提到的滚球游戏，简单的拍击动作就能让孩子感受到轻、响、快、慢，这些正是将来他在琴键上最需要掌握的感觉力。

在等待音乐培训机构提供这类课程之前，家长们也不要闲着。至少，你可以带他去看哥哥姐姐怎么弹琴，去乐器城逛逛，对钢琴有初步的认识，也可以多认识一些其他的乐器：什么是钢琴？什么是小提琴？什么是圆号？以加深孩子对音乐世界的熟悉和理解。不要到学琴的这一天才看到钢琴，才亲耳听到钢琴发出的声音，才看到有人示范弹琴。想想看，在我们小时候，没有电脑，等到长大后开始学习电脑的时候，会碰到很多困难，上手也慢。但现在的孩子，因为从小就看到大人用电脑，有熟悉感，学电脑的速度非常快。钢琴和电脑虽然是不同的领域，但对孩子来说，学习的方式在某方面是相通的。

琴童小词典：0~3岁，音乐早教黄金期

研究表明，0~3岁是孩子的音乐早教黄金期，特别是1岁以前的孩子，因为视力发展不完善，而听力相对优先发展，所以，听觉成为他感知世界的主要方式。在这一时期内，在孩子的成长、学习和生活中融入一定的音乐启蒙教育，对于开发智力、稳定情绪都大有好处。

第二节　他是钢琴神童吗

有的孩子真的是有弹钢琴的天赋，而有的孩子天生五音不全。父母都希望早些了解到自己的孩子是否具有学习钢琴的天赋，是否有音乐的感知能力，这些，家长可以简单地通过一些方式来做基础的判别，但天赋并不等于成就。无论多有天赋的孩子如果不通过后天的勤奋努力，绝对成不了钢琴家，反之，如果资质平平的一个孩子，后天非常刻苦努力，一样能够学有所成。

※ 通过手、耳、记忆力判断孩子的音乐潜质

通过对手、耳、记忆力等几方面的简单评判，你可以基本了解自己孩子的音乐潜质，以此作为选择参考。

把孩子送进钢琴教室后，家长们有时候会聚在一起聊，我发现，最能够有共鸣的话题就是——我们的孩子到底有没有钢琴天赋？不光是我，其实所有人心里都没底，问老师，老师会说每个孩子看起来都不错，但有没有天赋，要学学才能看出来。大家只能各自判断，会唱几首儿歌而且唱得还算好听就是有音乐潜质吗？还是听见音乐就手舞足蹈算有音乐潜质？天赋这东西看不见摸不着的，怎么衡量啊？

现在都是独生子女，我们一点都不心疼送孩子学钢琴花的钱，但是心疼他的时间和精力，而且，我们相信，每个孩子都是有天赋的，但未必都是钢琴天赋，要是他在绘画上、语言上、舞蹈上更有天赋呢？我们送他来学钢琴岂不是

白走弯路，要是学了一段时间才说不行，不说投资不菲，就是孩子早期教育被耽搁的时间也太可惜了。耽搁他在其他方面的发展可太让家人后悔了。

不过，议论归议论，要是哪位家长真让孩子去把画画、钢琴、围棋都试一遍，这也不是很现实，毕竟，儿童智力发展的黄金期就这几年，只能选择一个看起来比较有把握而且大家都看好的来学习。我想请教老师的是，像检查身体有什么皮下脂肪厚度、身高、体重这些数据能够对照参考，在钢琴学习方面有没有什么比较权威的参考标准，能够给孩子先做下测试，有个评分，也让我们这些家长能够心里更有底些？

孩子身体是否健康，有很多技术上的指标可供参考，但孩子在音乐上是否有天赋，这很难用数字来衡量。许多家长为此苦恼，他们觉得孩子应该学钢琴，但又怕孩子完全不是这块料，白耽搁工夫，特别是那些家里没有人从事音乐专业的家庭，这种顾虑就更为常见。有没有些简单的办法，帮助家长判断孩子的音乐才能？

我的答案是：有，但不绝对。

大体上从手、耳、记忆力这几方面来判断。

先说手，弹琴用的无非是我们的一双手。四五岁的小孩子，虽然手还没有发育完全，但手形已经基本能看出来。家长要看的是手指是硬还是软，特别是关节部分，这决定着孩子弹琴的力量够不够，太硬不行，太软更不好。最理想的是，小手的骨头要有点硬硬的，但又不僵硬，不软绵绵的。还有，各个手指之间离得够不够远。手张得越开以后弹琴越轻松。这项经常被形容为手要松。松，是一个比较通俗的说法，是指手指伸张的能力，比如大拇指和食指的伸开度，能张开来，弹琴的时候会很舒服，当然，很多家长都不了解基本的指标，手的长度怎么样算好？手指最好不要太短，小指的长度最好能到达无名指的最上面一个关节。手指的长度不好改变，但手的松紧是可以通过手指操等锻炼手法来改善的。有些学生甚至在其他方面的条件都很好，只是手指伸张不太好，还可以考虑通过手术来改善。

特别提醒的是，太胖的手会有点困难，瘦点的小手更占便宜。不过，随着孩子长大，婴儿肥也会逐渐消掉，所以，倒也不用一看手胖就放弃。而且，最重要的，不是优秀的钢琴手形，够不到八度，可能难成为伟大的钢琴家，但不代表不可以享受钢琴带来的乐趣。

再说耳，其实这个关系的是乐感和节奏感。大人拍掌让小孩子跟着唱歌，可以选择唱儿歌，所有的儿歌都是有节奏的，看他是否跟得上节拍，是否有本能的节奏感。或者放一个钢琴曲，看看孩子从钢琴曲能听出什么感觉。比如放一个快的曲子，看看孩子是否能用恰当的形容词来表示，哪怕是很幼稚的形容词。比如，说像放鞭炮，或者说是像爆米花的感觉。在我小的时候，听到喇叭声、敲玻璃的声音、倒水的声音，或者在电视里听到什么有趣的声音，爸爸就会叫我去钢琴上找一个能够发出和这些声音类似音的键，这是很有趣的亲子互动活动。孩子也许对固定的音高没有概念，但至少他会有一个模仿的能力，这是很重要的。

接下来是记忆力。妈妈唱一首歌，让孩子学着唱，让他跟着唱，也许孩子的五度唱得不是很准，但至少要知道调是往上还是往下的。通常说"五音不全"的孩子，他的调是找不准的，妈妈往上唱，他往下唱，没有基本的音乐上的模仿力。另一种尝试的方法就是一个曲子放过以后，第二天再放一遍，看孩子记不记得他昨天听过。或者放两个，一个和昨天一样，一个和昨天不一样，看看孩子是否能分辨。

如果这三点都具备，那么恭喜，我觉得你孩子的音乐潜质至少是在标准线之上的。

琴童小故事：天才莫扎特

　　挂着天才头衔的人有很多，但唯有说莫扎特是天才不会有任何人有异议。3岁的时候，还没有任何人教过他弹钢琴，他就能自己走到钢琴跟前，努力地用小手指试图弹出他曾听过的某段乐曲。而4岁时他居然已经尝试在五线谱纸上创作，虽然音符写得歪七扭八，但这并非孩子无意义的涂鸦，而是创作！6岁开始欧洲巡回演出，他曾经留下很多对孩子来说不可思议的纪录，比如一段全新的艰深乐曲，他能够当场视奏；依指定低音即兴作曲等。关于莫扎特的天才故事有很多，其中最著名的一个是在他7岁的时候，他用父亲朋友的小提琴演奏，然后清楚地告诉父亲，他自己的琴比这把琴低1/8个音，后来两把琴被拿到一起比对，证明他的感觉完全正确！正是有着如此超人的天赋，加之后天的不懈努力，莫扎特才在音乐史上留下了如此辉煌的一笔。

※ 为孩子选择学习钢琴，是为他还是我

　　在选择学习钢琴，把这个庞大的乐器买回家之前；在为孩子请一个钢琴老师之前，我们要给自己留点时间，冷静地问问我们自己：为孩子选择学习钢

琴，是为了孩子的将来，还是为了让他们实现我们儿时没有实现的梦想？

现在的孩子真是懂事早，5岁的儿子跟我说起道理来头头是道。这段时间他特别贪玩不想练琴，每天都要花半个小时说服他练琴。但他提出的一个理由我觉得很难回答，他动不动就说：我又不想学琴，都是你们叫我学的。

坦白说，送孩子学琴，的确有补偿我们自己儿时遗憾的心理在里头，小时候我特别爱好音乐，每次上音乐课都不舍得走，站在老师跟前看她弹琴，那时候学校还没有钢琴，仅是一架简单的风琴，就可以听得我如痴如醉。但，我也深知，孩子有自己的将来，如果他没有表现出对音乐的兴趣；虽然经过一些基本的测试老师也认为他很适合学琴；并且事先征求过他的意见，他同意学琴，不然我们是不会勉强他去学钢琴的。但现在，面对孩子究竟是为谁学琴的质问，我也不知道怎么跟他长篇大论地把这个问题说清楚才好。他爸爸最常用的一句就是跟他说"我们都是为了你好，你将来就知道了"。但这对孩子没用，因为以他现在的年纪很难理解，他会说，将来我不知道，但现在我知道我不想学了，那个无奈呀，有时候气得真想打他一顿。爸爸妈妈为了你学琴，牺牲了自己的业余时间，每天陪着你练琴，节假日接送去上课，要是打听到哪位名师上公开课更是要挤破头也要送你去，买那么贵的琴，把最好的房间让给你练琴，这些全都是为了培养你啊！现在你说我们是为自己，真是，跟他讲又讲不通。我想这个问题应该很多家长都会碰到吧，面对孩子的蛮不讲理，应该怎么回答才好？

※ 面对孩子"都是你们叫我学琴，我自己不想学"的问题时，我们该如何回答

如果说前面解决的是孩子学琴的物质问题的话，那"为谁学琴"解决的就是精神上的问题。许多家长面对这个问题，会不假思索地回答："为了他自己啊，为了让他不输在竞争的起跑线上啊！"

这是真实的答案吗？在你还没有意识到的内心深处，其实，是不是有另一个隐藏的答案呢？有时候，我们看似理智的决定，其实是受到直觉操纵的。

以下是一份简单的问卷，你可以花10分钟做一下，做完后，也许你对孩子学琴这件事情会有不同的理解。

问题一：让孩子学琴，是不是因为邻居家的孩子或他幼儿园的同学也在学钢琴？你觉得如果他们送孩子学钢琴，而你不送，孩子就可能落于人后或者你

这个家长就算没有尽到责任？

问题二：让孩子学钢琴，你是否有"圆自己小时候没实现的梦想"的成分在里头？哪怕是极少的成分，是不是也会对你的决定有微妙的影响？

问题三：是不是考虑过所有的常见的才艺项目，比如画画、芭蕾、网球等，最后才决定选择钢琴？还是从未考虑过，就是一门心思认准钢琴？

问题四：你是否已经决定为自己增加一份不拿工资的工作？送孩子去学琴、陪孩子去练琴，是一件需要全心付出但不仅没有薪酬，而且孩子还有可能会误解的工作，至少在四五年里，你得做好长期付出的心理准备。

问题五：孩子一人学琴，全家会失去很多娱乐时间，周末可能不再完整，因为周六下午有钢琴课，出门旅游不再是半个月，三天后就必须往回赶，因为孩子需练琴……对于这些牺牲，全家做好准备了吗？

问题六：在让孩子学琴的问题上，父母是否在所有主要事项上都能达到基本一致的意见？比如钢琴放在哪里？学费的承受能力怎么样？练琴的时间每天多长？孩子不想练了怎么办？孩子学习进步不快怎么办？

问题七：对学琴中出现的好或坏的意外现象，你是否有足够的心理准备？如果他真的是个天才，突然少年一朝成名你们准备怎么做？当然，绝大多数情形下，如果孩子弹了好几年仍然成绩平平甚至出现叛逆情绪又如何处理？

问题八：如果以后孩子不做钢琴家，你会不会失望？他的资质虽然不错，但最后只能成为一名钢琴教师，或者钢琴只能成为他一项并不算特别突出的业余爱好，设想到那时，你会后悔送他去学琴吗？

问题九：要知道练琴是很痛苦的，你会不会看到孩子太累、太苦，流眼泪，而舍不得？你是否狠得下心来要求他一遍又一遍地重复？

问题十：你能否保证永远有积极向上的激情，给予孩子的只是正面的表扬和鼓励，即使在你情绪不佳或孩子实在不太听话的时候，也保证对孩子绝不会谩骂和体罚？

这是一份并没有标准答案的问卷，但对于这个问卷的回答，能够帮助爸爸妈妈认识到，在孩子学琴的事情上，你还有哪些需要补的课。

问题一：每个孩子都是独一无二的，与众不同的，有各自的特色和长处。隔壁孩子也许适合钢琴，你的孩子也许更适合画画？更喜欢体育？家长们要做的，就是发现孩子的优点，弥补孩子的缺点。培养孩子，成就孩子。条条大路通罗马，钢琴不是唯一的选择。

问题二：不止一位家长在跟我沟通的时候提到："我小时候特别想学钢琴，但没有条件，我一定不能让孩子再留下这个遗憾。"注意，这个遗憾是你的，不是孩子的！在学琴的事情上，家长可以适当引导，但千万不要大包大揽，全盘做主。家长遗憾没有学到的本领，不一定是孩子的强项。

问题三：不管是一门心思要学琴还是考察过所有项目再决定学钢琴，其实并没有定论说哪种方式更对，只是提醒家长在有关送孩子去学弹钢琴这件事上，必须要做客观的而不是主观的决定。请认准孩子的确略有音乐上的灵气和兴趣，再慎重开始。千万不要因为钢琴，而耽误了孩子在其他方面表现出的特有的才能和热情。

问题四：在绝大多数家庭里，妈妈是负责孩子练琴的主力。这不是辛苦几天或几个月就可以解脱的"苦差事"。每天陪练琴，每周陪上课，和老师沟通，考虑音乐会、比赛、表演等事宜，这是一份长期的、持久的工作，所有的付出也许并不会立刻得到感激和回报。你想好了吗？所有的付出还可能引来孩子的极度不满和反抗，你准备好了吗？

问题五：大部分中国家庭没有专门的琴房。在孩子练琴的时间，你不能看电视，不能听音乐，不能大声说话。周末的全家郊游会变得稀少，因为时间要留给钢琴课。即使是难得的出门探亲、旅游，还要考虑到是否带上钢琴教材，或者是目的地有没有钢琴培训中心可以临时练琴……借用一个名词，孩子练琴，是全家的"系统工程"，这些，所有的家庭成员必须共同为此而付出。

问题六：对孩子的教育是许多夫妻吵架的重要肇因，况且学钢琴的过程中，会有无数选择。例如，在专业或非专业的问题上，在买什么钢琴的问题上，在练琴谁主陪的问题上，在投入多少资金的问题上……不要等到孩子开始学琴才为这些事情争辩，提前解决它！俗话说得好：丑话说在前头！

问题七：领孩子走上钢琴路，这条路它是"自己长腿"的，因为有很多情况都不是父母能左右的。孩子的才能、性格、喜好、机遇……这些可以引导，但很难控制。孩子一旦真正开始学琴，就要做好任他自然发展的准备。即使不得不放弃，也要保持良好的心态。

问题八：如果小孩子从四岁开始学琴，学到十四岁，二十四岁，仍看不到成为钢琴家的希望，这时家长可不能后悔当初培养孩子学钢琴！即使是天才琴童也不保证个个能成名成家，那需要实力、努力还有运气！成不成钢琴家未必百分百决定权在自己，这当中还有很多机遇和运气的成分。

问题九：听别人弹琴很享受，为别人演奏也很满足。但俗话说台上一分钟，台下十年功。练琴和所有的艺术门类一样，都是要下苦功的！十年如一日的辛苦，十年如一日的重复，听的人开始厌倦，何况弹的人？你会不会舍得孩子有这些生理、心理、脑力上的压力？能不能忍心看孩子这样日复一日年复一年地坚持，只为某个不确定的未来？

问题十：我是坚决反对打孩子、骂孩子的行为的。在美国长大的我，认为打孩子是一种无能、粗暴，和犯法的行为！但是，我也提前告诉所有刚把孩子送进钢琴琴房的父母，在陪孩子练琴的过程中，一定会出现摩擦，一定会有你想发火的时候。在决定让他学琴前，家长是否能向自己保证尽量控制住自己的情绪？当自己有气的时候，决不把孩子当出气筒？

琴童小故事：被迫学法律的舒曼

比起现在很多父母不问孩子意愿就勉强他学习钢琴来，舒曼的故事可算是比较独特了。这位音乐史上的著名人物，出身于书香门第，父亲是位出版商，母亲则是医生的女儿。按理说，这样的家庭应该支持孩子学艺术，而且，7岁才开始学习钢琴的舒曼已经显示出他的天分，他12岁开始尝试创作，却在读大学时因为母亲的坚持，只能在莱比锡大学攻读法律，直到20岁才被允许跟随一位钢琴家（后来成为他的岳父）学习钢琴。可惜，因为急于求成，他的过激练习导致手指受伤，音乐史上也失去了一位可能的杰出演奏家，还好，他的音乐天分并未随手指受伤而消失，在作曲和音乐评论方面他是当之无愧的大师。

※ 孩子如果是音乐神童，是否孤注一掷

当有的孩子在被入门级老师发现其音乐天赋，极有可能是所谓的"钢琴神童"时，我们很难冷静地面对。这时候，我们会做起未来孩子成为钢琴家的梦，会精力物力一起投入，把孩子往钢琴家的道路上打造。事实上，即使是真正的神童也并非天然拥有一条坦途，其中的风险还需要家长权衡考虑。

儿子已经6岁了，自打他开始学钢琴，我们就像坐上了过山车，现在的心情是又喜又愁。从几个月的时候起，家人就发现他对声音特别敏感，听到音乐就会手舞足蹈，儿歌教几遍就能哼唱。大家都说这个小家伙肯定有音乐天分，虽然数遍我们的家族，只有他的奶奶当兵的时候曾经是合唱团成员，但天赋这东西未必非得靠遗传啊！所以我对孩子的天赋还是非常看好的。

3岁半的时候，儿子就被送去学钢琴，现在他6岁，已经考过3级，考级只

是个参考，说真的，我觉得和我儿子同样级别的小孩，无论是对新乐谱的视奏能力，还是对同一个曲子的表现能力，都远远不如他。培训中心的老师，众口一词地说这孩子有音乐天赋，建议让他学下去，走专业道路，说不定就是第二个郎朗。这当然只是个期许啦，但，如果他真有这个天赋能够走上专业道路，我们夫妻说什么也不能耽搁他啊！

　　现在我们面临的问题就是，我们住在绍兴，学琴在绍兴继续下去肯定是不行的，但，要把孩子送到北京或者上海去学琴，代价真是很大，孩子这么小，我们夫妻中必须有一个辞职全心照顾他，从此成为报纸上报道的那种陪练妈妈，而且，老公的工作又很难放弃，如果送他去学琴，就等于将自己的人生和儿子的将来都赌在这一注上，我们输不起，但又觉得不能浪费孩子的音乐天赋，究竟应该如何选择？真是快愁死我了。

　　这是我在巡回教学中经常面对的问题，特别是学琴环境一般的二三线城市，我不止一次碰到过提出此类问题的家长，有的还带了孩子的录音，或者直接把孩子带来现场让我"鉴定"一下。国内的现状是，能够真把孩子教出好水准的老师，现在仍然只在北京、上海这些一线城市。一旦孩子被视为神童，家长就会面临两种选择：要么赌一把，放弃工作，专门陪孩子去北京、上海学琴；要么，就索性无视孩子可能存在的天分，在二三线城市里，能学到怎样就怎样。哪一种都很难下决心，耽搁了孩子的天赋固然可惜，但神童哪那么容易出，万一琴也没学好其他的也耽搁了呢？

孩子是不是神童，要从几个方面来做判断。

从孩子本身来说，要有天赋是肯定的，苏东坡说，书到精时读已迟。伍兹小时候打高尔夫，第一杆下去就像那么回事，那是有与生俱来的东西在。比如：孩子从小就有节奏感；学东西快，练几分钟就能有进步，而别的孩子练十个小时也没进步；背谱容易，耳朵好使；还有，要看性格。给孩子上台的机会，看他在台上是不是很自如，如果他很内向封闭，一上台就错，弹钢琴最好就作为爱好吧。一定要有外向的性格，能够表现自己的、愿意表现自己的、充满了自信的孩子，上台比平时弹得好，这说明孩子具有成功的潜质。

即使判定了，这是个神童或是准神童，但是否优秀到在他还没有能力选择自己的方向之前，就要把人生全盘赌上的地步？对于这些家长，我提供的参考意见是：谨慎好过冒险。

在学琴一段时间之后，孩子的天分是能够很清楚地显露出来的。带他去比较有可信度的音乐机构或是专业人士那里，判断孩子的天赋究竟如何。听听专业人士的建议，绝大多数专业人士的评论是审慎全面的，而不会使用"第二个郎朗"这种论断。如果是真的神童，他们也会给出比较切实可行的建议，相信这对家长做决定会更有参考性。每年，大批确有天赋的孩子进音乐学院附中、附小，都是期望做演奏家的，我相信他们的目标肯定不是去乐队，或是当钢琴老师。但音乐学院出来的都是演奏家吗？显然不一定。还有一个重要的因素就是运气，要出名，要成功，要天时地利人和等所有的因素在里头。不像医学院，毕业好歹能做个医生，法学院，毕业好歹能做个律师，音乐学院毕业，可不是好歹能做个钢琴家。也有很多人非常努力，非常有才华，但并没出名，一辈子怀才不遇的多的是。所以，还是在之前的篇章里我们说过的，享受钢琴，并不只是钢琴家的专利，当赌注已经大到会完全影响你的人生让你觉得输不起的时候，退守，好过冒险前进。

琴童小故事：天才阿格里奇

关于天才的故事其实只有那几个版本，一个从未接触过钢琴的小孩，只是旁听大人弹琴，便能够在钢琴上奏出他听过的旋律，或者是没学几天琴弹奏水平就让大人吃惊。当代著名的钢琴演奏家马尔塔·阿格里奇小时候的天才故事就是这样。幼儿园里，有个弹钢琴的小女孩总是笑话阿格里奇，当时不到3岁的阿格里奇很生气，她要打败这个小女孩，于是她在钢琴上随意弹奏了起来，旁边的老师大吃一惊，因为她随手弹的已经相当成调。于是，她被当成音乐天才培养，5岁便登台演出，成为非常受欢迎的钢琴家。

第三节　弹响第一个音符

无论孩子在琴键中第一次敲中的是个怎样的音符，对爸爸妈妈来说，都非常美妙，而对孩子自己来说，也是意义重大。万事开头难，或者更夸张点说，好的开头是成功的一半。在孩子自己还什么都不懂的时候，家长的安排在很大程度上影响着他未来的钢琴人生。

那么，就让我们来看看如何为孩子画下一条最完美的起跑线吧。

❋ 小提琴、电子琴、钢琴，先学哪个

有些家长会在孩子学习钢琴前，为孩子选择学一门其他的乐器，而选择电子琴的比较多。很多家长觉得电子琴跟钢琴相似，但价格便宜很多，在孩子还不能确定能否学下去的时候，先让他学习电子琴作为入门。这是家长的一个误区，其实钢琴才是一切乐器的基础，在国外，即使是学其他乐器的专业音乐学院学生，钢琴也是必修课，学钢琴的好处，家长应该好好参考。

我是肯定要让孩子学一样乐器的，俗话说，女儿要富养嘛，有什么比学艺术更能培养气质的呢。不过，学什么乐器我要仔细考虑下，我们夫妻俩都没学过什么乐器，只能是看现在什么比较吃香学什么吧。反正就是三大件，小提琴、电子琴、钢琴，我看都不错，各有优劣。民乐乐器也不错，但我们希望她学得更国际化些。

这三样我们全家都参与了讨论，孩子自己是最喜欢电子琴，我们先给她报了个班试学了几堂课，上手很快，没学几天就有模有样的了。爷爷说，听起来都可以上台演奏了！这当然是夸张了，不过，一首短短的乐曲的确能够成调了，我觉得电子琴的优点是本身自带的功能非常丰富，学起来孩子有成就感。

但是，我只听说过有钢琴大师，没听说过有电子琴大师什么的，这项乐器还是作为入门，学一学就放下吧，权当培养下孩子的演奏台风了。

小提琴我们觉得也很好，而且古典乐中小提琴也非常受看重，琴又比较小巧，幼儿园报名学这种乐器的人最多，而且，价格不算贵，搁在家里也不占地方，拎着去上课也方便。不过，孩子试了试觉得不太喜欢，因为小提琴要抵在脖子那里，她说有点疼。

当然，钢琴我觉得是最应该学的，它是乐器之王嘛。而且，钢琴学校最多最全，当下最红的古典音乐家，也以钢琴家居多。我们也没指望孩子成名成家，但至少发展前途会比较宽广啊。

所以这些优缺点衡量来去，全家又开会讨论了半个月也没出个结果，想请教老师，应该选哪样才最有利于孩子？

我不赞同先学电子琴，主要是一个触键的问题。它虽然可以帮助孩子认谱，但电子琴的触键没有深浅，声音没有轻响，孩子在弹了几年的电子琴后，仍然不能培养出任何掌控键盘的力量。电子琴有的有双排键，有的能模仿各种乐器的声音，它只是一种娱乐，仅此而已！

　　钢琴容易上手，有个音准。小提琴刚开始拉时，讲得过分一点特别像杀鸡！拉小提琴的姿势对孩子来说是最不舒服和不自然的。而钢琴不同，小孩子只要放松，坐姿正确，手形自然也就是正确的。我3岁学小提琴，4岁自己要求学钢琴，当时倒并没有理解钢琴在乐器中的位置，只是很单纯地想坐下来弹，小提琴的姿势太累了。当时个子很矮的我，坐着拉小提琴，琴就会滑下来。而且，脖子这里会有个红的印记，还会痒、疼。有的小孩子会觉得练这个太辛苦了。

　　但有一个很有意思的现状，同时也是中外教育的一个区别：在国外学弦乐器的孩子比中国的多。每个学校都有弦乐队，学生们觉得弦乐队是一个集体的团队，在其中能有归属感。但钢琴是一个单独演奏的独奏乐器，演奏形式较为单一和枯燥。但我问过很多中国家长，家长的回答往往和国外相反。他们的代表性意见是：我们不希望孩子成为群体中的一员，我们需要他比别人都优秀，我们偏偏就是要选择一个单独演奏的乐器来突出孩子的与众不同。

　　在这里我不想挑战这些家长的理念，我只想提醒各位：不要忘了你的孩子今后还是个"社会"人，不可能事事都独立完成，事事都比别人突出。

　　很多人说学钢琴可以让孩子变聪明，我同意这个论点。（我就自认为是个不笨的人。）因为弹钢琴，又看低音谱号又看高音谱号，又管左手又管右手，程度深一点，还有踏板。在练琴的同时，孩子的手、眼、脑、耳都得到锻炼，肯定也是同时开发智力的。

总之，学钢琴应该是每一个想学音乐的孩子的首选，当然不绝对。孩子有了一定的键盘基础后，今后若是想改行从事别的乐器，哪怕是作曲理论，都会对他的发展有很大的帮助。

琴童小故事：海顿的旧钢琴

奥地利作曲家海顿的经历，和很多音乐家都不一样，他出身贫寒，学习音乐的条件非常艰苦，6岁才开始学习小提琴，还是因为教会合唱团的指导老师看中了他的天分。他从学习唱弥撒曲开始正式学习乐理，而到了17岁的时候因为变声，他又被解雇了，只能靠教孩子学音乐为生，几乎流落街头。还好，在朋友为他租来的阁楼上有一架旧钢琴，海顿就在这架钢琴上勤奋自学，"每当我坐在那架破旧的、被虫咬坏了的哈普西科德旁边时，我对最幸福的国王也不羡慕"。最终，这架旧钢琴成就了海顿，他成为了当时首屈一指的音乐家，并长期担任宫廷乐长，是维也纳古典乐派的最早期代表。

※ 学琴的最佳年龄是几岁

依目前国内的钢琴教育现状，4岁是一个比较适中的选择。当然，依据孩子的具体状况，家长还可以自行调整。

孩子两岁生日，爷爷奶奶送了他一架很不错的钢琴做礼物，当钢琴抬到家里的时候，我才接到他们的电话，退都不可能了。这也太着急了，我理解老人望孙成才的心，不过，两岁也太早了吧，他的小手连拿东西都不太稳，怎么可能有弹琴的力量。

老人的理论是，先让他玩起来，哪怕瞎弹也是一种熟悉是不是？再说，朝夕相处，他和钢琴会培养出感情，会觉得每天都练练琴是天经地义的事情，这不比到了4岁正式送去学琴时还要培养各种习惯好？但我觉得这样不太对，恰恰相反，万一瞎玩玩出错误的习惯呢？俗话说得好，没有规矩不成方圆，在两岁多的时候，你给他立规矩他也没法遵守啊。而且，我们家里又没有人懂钢琴，万一养出什么错误的习惯来，到时候要再纠正可就迟了。

现在，我和老人各执一词，谁也说服不了谁，老公夹在中间也没法判公道，他劝我说，反正老人送琴来也是好心，不如就搁着吧，别让孩子玩得太厉害，就熟悉一下呗。我觉得这样做我蛮担忧的，不过，这中间究竟有什么道理我又说不清，只能来请教老师，在正式送他去老师那里学琴之前，能够让他和钢琴这么随便玩吗？孩子几岁学琴最合理？有什么科学理论依据吗？

从美国回到中国，在不同城市的钢琴学校讲课，接触过数不清的琴童和家长，也碰到过不少让我啼笑皆非的事情，其中最让我印象深刻的就是，家长带着两岁多的孩子来要求学琴，说是孩子乐感特别好，不早早开始怕耽搁了。看着刚学会走路的小孩和家长急切的脸，我在表示理解的同时，也非常认真地告诉家长，太早了！也碰到过有些开始不着急的家长，看到别人家的孩子早早就开始学琴，也着急了，于是，原定5岁学琴的提前到4岁开始，原定4岁开始的，3岁半就送去上课。究竟几岁开始最合理，有明确的标准吗？

这个问题如果你用中文搜索引擎搜，答案会是4岁。但上英文的网站找，外国人的回答会是6到7岁。我本人是4岁开始学琴的，所以主观上我赞同前者。客观上，我也赞成6岁开始学，因为4～6岁是最能培养良好的手指机能的年龄段。我们可以借鉴国外的是先上几节集体大课，再开始上一对一小课的经验。

　　不过，3岁是有点过早。我3岁跟着爸爸学小提琴，与其说"学"不如说"模仿"，一切靠本能的记忆和模仿力，但对五线谱怎么都不明白。一过4岁生日，妈妈说我立马"开窍"。7岁开始肯定是偏晚的，因为这时孩子的手已经基本发育完善，再锻炼缺乏力量。看看音乐史上那些著名的钢琴家，不管是欧美的还是亚洲的，学琴的时间都集中在4岁前后。至于是不是一到4岁就马上学，那还要因人而异。有的孩子性格比较温顺，坐得住，那就可以试一下。有的孩子，尤其是男孩子，比较多动，安静不下来，那就要再让他长大些。

　　国外4到6岁的孩子，通常选择的是音乐集体课。中国家长却不太喜欢这种形式，觉得大课的进度比较慢。都已经交了高额学费了，当然希望孩子能够享受"更专门"的服务。而上大课，几个孩子一起听一起弹，进步慢，学的东西相对少。从思想上来说，中国的妈妈还是特别希望自己的孩子比别人高一筹。他家的孩子学到第八页了，那我家的要学到第九页。其实，这种虚荣心和攀比对幼小的孩子来说是有百害而无一利的。

　　低龄琴童上大课好处非常多。首先是小朋友之间有个互动，这种气氛更有利于孩子记忆、领会学到的东西。其次，大课更像是课堂的氛围，学生会更有敬畏心，集中注意力听讲。第三，大课能够定期把许多学生集合在一起弹琴，这是一个气氛，也是一种回忆，还是一种鼓励，跟程度深浅、弹得好坏都没关系。

当上完一段时间的集体课后，再改为一对一的小课。这时候，孩子对钢琴和键盘已经有相当的了解了，对钢琴课的氛围也很熟悉，钢琴不再是个庞然怪物。这时候他在钢琴小课上，会感觉更自然，而且学习效率也会更高。

钢琴小故事：4岁学琴的鲁道夫·谢尔金

　　美籍奥地利钢琴家鲁道夫·谢尔金被誉为20世纪最伟大的十大钢琴家之一。他的父亲是位歌唱家，并且能娴熟地弹奏钢琴和拉小提琴，在这样的家庭里长大，他在4岁前就表现出了音乐天分，但还是到4岁才开始接受正规音乐训练，在钢琴和小提琴间，他选择了前者，因为小提琴离耳朵太近了，让他有点不舒服。父亲为他请了专门的音乐老师，短短1年后便可以以舒伯特的《降E大调即兴曲》进行独奏演出，12岁时与维也纳爱乐乐团合作演出门德尔松《g小调钢琴协奏曲》，是公认的天才少年。

第四节　钢琴老师，重要角色出场了

师傅领进门，修行在个人。即使是个天才的琴童，也要有一位好老师，领他叩响第一个美妙的音符。而现在家长们面临的大问题就是，这位好老师在哪里？对初学琴的孩子来说，什么样的老师才称得上好？而那些好老师的门下，是否学生早已爆满，他压根就没有精力再带新学生了？

从海量的钢琴老师中，找到最适合你孩子的那一位，虽然不是容易的事情，但只要掌握了诀窍，其实也不难！

※ 如何为孩子选择好的钢琴培训机构

选择在当地较有口碑的、拥有专业师资和琴房的培训中心，家长可以比较放心。

孩子下半年就要报名学琴了，做家长的未雨绸缪地准备起来。这年头，为了上一所好的幼儿园，好多妈妈刚生下孩子就准备排队报名了，下半年学琴，现在当然要紧张起来了。最重要的是，要给孩子选一家最合适的钢琴培训学校！什么样的老师领他进门这是最重要的，我们这对父母谁也没学过钢琴，也不懂什么乐理，是要完全依靠老师来进行基础教育的。所以，这太重要了。

两个多月的时间，我跑了至少10家学校，每家学校我都上网先查资料，搜索下有没有不良的评论，然后亲自去学校咨询，准备了好多个问题，经常把前台的接待小姐问得哑口无言，老师也只能说，你可以先把孩子送来试下。除了跑学校外，我也托人介绍了几个不错的老师，去和人家当面沟通，了解了一些信息，但仍然有点不得要领。究竟要给孩子选哪个学校，我还是不能确定。其实吧，学校看起来都不错，设施很好，老师的资历也都看起来很过硬，个个都是专业院校毕业，而且看他们带孩子的成绩，考级也快，也有不少获奖的琴童。但是，广告么，肯定有很大水分的，对我这种大外行，即使有陷阱我也分辨不出来吧。这可是孩子的启蒙课程，要是入错了门后果太严重。要不，我也向邻居妈妈学习，就拣最贵的那家报，反正贵总是有贵的道理的，大投资都花了，多花这点又何妨。这样成吗？请老师给点内行的指点吧。

钢琴学校的报名台前，每天都有很多心急的父母来咨询，我也曾经跟其中的几位聊过，不少人都是跑遍了全城的钢琴学校，但还是很难做出选择。他们最普遍的说法是"我不懂钢琴，真不知道挑哪里好"，其实，为孩子挑启蒙的培训机构和钢琴老师，大部分家长（即使从未接触过钢琴）都可以胜任的。

我们来分析一下老师的来源，凡是能够在正规的钢琴培训学校任教的，在专业上是经过了基本检验的。他们通常是专业音乐学院的高年级学生、毕业生和音乐老师。从技术角度来说，任何一位担任幼童的初级教育都是可以胜任的。而且，培训中心也会提供老师的资料，诸如专业资格证书、资历、授课成绩等给家长参考。在这一点上，家长无需过于焦虑。

此外，培训机构的场地、设施家长是可以看到的，这个机构面积有多大，琴房有多少间，钢琴的牌子怎么样，有没有一些附属设施，是否会定期举办一些活动，等等，这些都是考察起来会有明确结果的，都可以作为参考。现在的钢琴培训中心也会有自己的官方网站，诸如学校定位、明星老师、学员成绩这些都是可以查到的。此外，多上一些钢琴学习论坛，和琴童的家长聊聊也会得到很多有用的信息。

琴童小词典：天才的摇篮柯蒂斯音乐学院

在美国几所为数不多的接收琴童入学的音乐学院中，位于费城的柯蒂斯音乐学院（The Curtis Institute of Music）无疑是最著名的一所。这是一所私立音乐学院，1924年，Mary Louise Curtis Bok创办了它，郎朗便是毕业于此，它拥有近百名著名教师，每年招收的新生不会超过200名。柯蒂斯的办学理念就是"为那些最具音乐天赋的年轻人提供最优质的教育，并将他们培养成最为专业的艺术家"，学院为所有学生提供全额奖学金，以便让他们没有任何后顾之忧地学习音乐。

※ 怎么辨别钢琴老师的水平

依据性格而非专业水准的细微差别，来给孩子选择他的入门老师，是更聪明的做法。启蒙的钢琴老师，一定要有外向的性格，要有起伏的音调，要有纯真的笑容。年纪大小无所谓。

我儿子比较调皮、大胆，结果连换了几位老师都不满意。这中间，我觉得有孩子的原因，也有老师的原因，最重要的还是中间环节沟通不畅。像挑第一个老师的时候，我在培训中心看了好多，但每位老师的介绍就那几句，姓名，年龄，毕业院校，钢琴专业水准，我反正觉得个个教孩子都没问题。报名老师也说随便挑一个就好，我就挑了一个比较温和的年轻女孩，因为我的孩子比较外向，而且特别有自己的主见，我觉得温和的老师比较容易相处。结果，没上两节课，我发现这位老师根本管不住我家孩子，她太温和了，结果孩子就不会好好学习。

第二次，我们接受教训，特意换了个比较威严的男老师，但上过一次课，孩子就再也不肯去见那位老师了，说讨厌他！我倒觉得其实那位老师不错，该板脸的时候就板脸，但孩子强烈地表示反对我也不能勉强他。

第三位老师，折中，找了一位既温和又严肃的老师，一位老太太，是从国外归来的，在国内也教了不少年的琴，我觉得她专业好，资历深，而且，年龄够成熟，应该对付孩子比较有经验吧，但几节课下来，儿子虽然没提出换老师，却进步很慢，仔细跟他聊了聊，他说，和这个奶奶根本没有交流，就只知道重复那几句话，反正你听也好不听也好，由得你，只要不调皮捣蛋，学成什么样她也根本不会过多去管……

合适的老师肯定有，关键是要掌握选择的办法。

首先，4岁的孩子不需要专业教授来教。这个年龄，跟孩子性格能够产生化学反应的老师最合适，所以女老师居多，男孩子女孩子都比较容易接受她。要挑孩子第一眼看到就喜欢的。她的声音动听，她的笑脸吸引人，她的性格开朗。初学者老师的性格，比她自己能不能弹好肖邦要重要得多。

更重要的是，老师要把教琴当成自己喜欢的事情，我觉得这个是装不出来的。最好的老师，是既不乏严厉但又随时面带微笑。老师讲的每一句话都要有意义，有道理，即没有废话，更没有大话。老师应该对每一堂课都认真对待，认真准备。从不迟到，决不早退。

启蒙钢琴老师最重要的还要有耐性和爱心。她要真正觉得教孩子弹钢琴本身就是件快乐的事情，而不只是赚钱的工具。当然，当老师是一份工作，最好的工作是又赚钱又享受。此外，老师的状态也要保持稳定，要一直对工作很用心。第一堂课表现得不错，之后就越来越马虎和松懈的老师不适合孩子。

另外，家长选择老师，一定要找经常给予孩子表扬的老师。老师的表扬和鼓励是对孩子最好的启发和激励。中国的老师最大的问题就是对于表扬非常吝啬，这是我最不能赞同的。赞美能培养孩子的自信，赞美会使孩子想做得更好。赞美会使孩子骄傲？这已是过时的想法！

最后，但绝非最不重要的，就是要挑有想象力的老师。启蒙老师的语言不能只局限于"这里响，那里轻；这里对，那里错"，孩子对这样的语言不感兴趣。老师的表达方式要是孩子喜欢的。比如，两个不同音量的乐段，可以把一个形容成"舞台上有很多小孩子在跳舞"，另一个则形容成"这里只剩一个小孩子在跳了"，小朋友立刻就会有非常直观的印象。老师是不是有这种想象力，是不是能够用孩子听得懂的方式表达出来，这也是对老师的一种考察。像我们在前面章节说到的，用大象、小鸟来形容音高和音量，孩子既喜欢听也听得懂。

我再和家长们分享一个小秘诀：根据我多年的经验，即使找到了好老师，她也不可能时刻都保持最佳状态。因为钢琴学校的课排得满，一个老师从早上八点教到晚上八点，怎么可能十二个小时都精神上佳。这里有个小窍门，就是把孩子的课尽量往上午排，挑老师精神体力最好的时候。

琴童小故事：马丁·克劳泽——天才的老师和天才的学生之间的传承人

也许你在音乐史上很难注意到马丁·克劳泽这个名字，的确，他在钢琴演奏上与自己的老师李斯特相比，光芒实在是差远了。而和自己学生，南美洲最为著名的钢琴家克劳迪欧·阿劳比也不如，但，马丁·克劳泽在音乐教育方面是权威人物，在著名的柏林施特恩音乐学院任教时，他给阿劳的一生留下了不可磨灭的印记。那时候，阿劳还只是个小琴童，而老师已经赫赫有名，听过阿劳的演奏后，他亲自书写推荐信，安排这个孩子进入施特恩音乐学院，并从基本教育开始亲自过问，连阿劳听什么歌剧都要考虑。并且，所有这些教育，马丁·克劳泽没有向阿劳收取任何费用，克劳迪欧·阿劳始终跟随克劳泽学习，在老师去世后则靠自修学习，这段师徒情成为钢琴史上的一段佳话。

※ 上门上课，是不是上策

只要孩子能学好琴，投资我们是舍得的。最近我正在和老公商量，要不要专门给孩子请个钢琴老师来家里教。

做这个决定，是因为有天我去接孩子下课，到的时候还在上课，我隔窗看了一会儿，觉得老师的状态非常不好，哈欠连天，而且孩子们在弹练习曲的时候，她也根本没听进去，只是笼统地说，嗯，弹得还不错，回家要继续好好练。下课时间一到，立刻收拾东西走人，我想拉住她聊两句都没拉住。

我能理解她，觉得培训中心的老师一天要上好多节课，精力肯定不可能那么足，但能理解不代表我能够接受把孩子交给这样的老师。看看培训中心其他的老师，大部分情况类似。所以，我想，是不是专门找个家教类型的，给他报酬高些，可以让他更有精力教孩子？而且，大城市交通不便，送孩子学琴来回也耽搁时间，要碰到堵车，两个小时就全耗在路上。如果给孩子请了钢琴家教，让老师到家里来教，也能省孩子的时间，家长也方便，专门一对一的效果又应该比去上课好，贵一点我们也能负担得起。但问题是，找了几位评价不错的老师，也把孩子的资料带给他们看了，他们表示孩子资质不错，但是，一说到上门做家教都不愿意，即使我们愿意把路上的时间折算成教时付款也不行，这是为什么呢？这个问题怎么解决？

即使好老师愿意上门教，我也赞成孩子应该出去上课。

我不赞成老师到家里来上课，理由很简单：孩子在家里永远不可能有去学校上课的那种"紧张度"和"紧迫感"。孩子在家中的情绪一般来说是松懈的，解放的，这和上课的气氛恰恰相反。还有，来家里上课的老师往往得不到孩子最大程度的认可和尊敬，孩子的心里会觉得老师只是一个来串门的客人。

我建议，第一个选择是去钢琴培训学校，退而求其次的选择是去老师家里。而且，如果选择去老师家里，那一定是要因为你特别崇拜这个老师，是非他不可，而不是贪图去老师家里方便。还可以跟老师沟通，希望老师定期把自己的很多学生集合在一起，让学生有互相交流和在同学们面前显示自己才华的机会。

　　我最鼓励去钢琴培训学校，这样，孩子会觉得我今天跟着大家一起成长，他会有一个群体。做家长的也可以有机会把自己的孩子和别的同学做个比较，看看自己孩子的优缺点都在哪里。此外，钢琴培训学校的好处是，它每季度每年度会有活动，比如音乐会、小型的比赛等，所以学琴的孩子都有参与的机会。哪怕他只会弹最基本的音符，但他只要有机会上个台，穿着正式的礼服或是裙子，和其他三十个孩子一起，接受大家的掌声和鼓励，这就是家里请老师教所无法实现的。

　　让孩子多走出家门，多和别的孩子交流，早日成为一个社会的人！不用把孩子关在家里，不见阳光。爸爸妈妈们：不要偷懒，每周带孩子去学校上钢琴课，让孩子学到比音乐更多的社会阅历。

第2章 八十八个琴键，十个弱小的手指

　　学琴绝对不是孩子一个人的事情，而是需要"全家总动员"。

　　4岁的孩子，音乐基础知识的学习和练琴便足以占用他全部的心思，他没有精力也没有能力来全盘考虑其他的事情了。买一架怎样的钢琴？去哪里买琴？谁负责与老师沟通？钢琴教材怎么选？每天的练琴时间如何安排……

　　在孩子学琴的初期，爸爸妈妈做得对不对、好不好是最关键的因素。

　　让我们来和孩子一起，为明日的华彩乐章，认真地踏出第一步。

第一节　一架合格钢琴是绝对前提

一架劣质钢琴虽然可以让家长省点钱，但它会让孩子的努力事倍功半，甚至在不知不觉中毁掉孩子的钢琴前途，那岂是钱能够衡量的。而一架符合标准的钢琴，才能够保证孩子的钢琴学习有效率。从现实角度来说，买一架好琴，其实是笔不会亏本的投资。

而琴买回家，也并非就万事大吉了，如何摆放、保养也大有讲究。现在，我们来聊聊钢琴——这个被称为"乐器之王"的乐器。

※ 钢琴是越贵越好吗？要给孩子买多贵的琴

第一架琴质量要好，视家庭条件，尽量靠近预算上限。以目前国内的规范标价来说，标价在三万之上的琴，才是能够符合标准的，至少能够用上四、五年。爸爸妈妈可以视自己的预算做选择。

不好意思地说，买什么大牌包我挺有经验，反正名气响，做工好，去专卖店里挑就行了，还可以带上时尚杂志，照着上面的本季购物清单参考，看上了，付钱就是。但给孩子买琴这事我一点经验也没有。

和老公已经逛过几次钢琴城了，那里的琴，有八九千的，也有四五万的，当然还有更贵的，但那就不在我们考虑范围了。而不到一万的和五万的，在我看来，除了工艺精致度上略有差别，其他的到底有什么不一样，完全看不出来。要说上手弹一下那就更没辙了，能弹出声，但音准不准，触感怎么样，完全没经验。问店员，店员的回答很模式化，说他们的琴都是合格的，小孩子学琴都没问题，贵点的当然要好点，但至于好在何处，她也解释不清楚。我想请问，像我这样没有专业知识的家长，怎么样才能选到一架最适合孩子的好琴呢？在选琴的时候有什么注意的要点？

钢琴，的确是越贵越好。

买琴的问题很多家长请教过我，是先买再换还是一步到位？我的回答是，一步到位很难，但至少要初步到位。

琴买得太便宜问题多多。音不准，键盘反应迟钝，音色没有变化，踏板没有正确效应等等。我经常说：仅仅有八十八个黑白键，不等于这就是一架钢琴。

我有一个比较实用的建议：在国内市场，以规范的标价来做标准，价格在三万元以上的琴才是合格的钢琴。家长起码应该给孩子购买一架合格的钢琴，孩子才不会"越练越坏"。为什么我会说在劣质钢琴上会越练越坏？ 一、孩子如果经常听音不准的钢琴，耳朵不仅得不到好的训练，反而破坏了他的原本水准。二、劣质的琴触键很不敏感。为了尽量弹出孩子和老师"想象"中的音色，孩子可能在手指、姿势上养成很多坏毛病、坏习惯。而且，手形的坏毛病一旦养成，以后换到好的钢琴上，很难重新改过。

坏琴的坏处诸多，那么，好琴的好，或者说它的重要性还能从哪些方面来体现呢？举个常见的例子：在教学中，我常听到家长反映孩子没有乐感。很多时候，这不是孩子的问题，而是和他们练的琴有关。好的琴能够给予孩子正确的反馈。 孩子在好琴上演奏，要它响就响，轻就轻，要它快就快，慢就慢，孩子的音乐表现力能得到尽情发挥。孩子想表现的，琴都能做到。可是在一台劣质琴上，无论孩子如何努力，都弹不出优美的音色和多变的音量。

从钢琴的使用周期来说，买来的第一架"初学琴"如果质量过关，可以用四到五年。如果孩子有兴趣继续在钢琴演奏上发展，而且也有了相当的水准，那时就必须换一架三角琴。要知道孩子今后去参加任何比赛或考试，使用的都是三角演奏琴。很多学生平时没有机会在三角琴上练习，到了舞台上一下子坐在了一架"大"钢琴前，心理上和生理上都无法驾驭这个"庞然大物"。

琴童小词典：施坦威钢琴（Steinway & Sons）

Steinway在某种意义上说，就是钢琴的代名词。1853年于纽约创立的施坦威钢琴公司，革命性地创造了钢琴制造业的100多项专利权，揭开了现代钢琴制造业的新篇章，被视为现代钢琴制造业的奠基者。由施坦威开发设计的基本结构已成为全世界现代三角和立式钢琴制造业的尺度和设计指南。在它创立后到如今超过一个世纪的时间里，国际顶级钢琴演奏家均将施坦威作为他们的首选，不论是在舞台上，还是在家里弹奏。历经时光磨洗，施坦威的宗旨"制造最好的钢琴"从未更改过。

❂ 钢琴放在家里的什么地方？怎么保养

只要位置摆放得当，做到及时检修、保养，钢琴并不像你想的那么娇贵难伺候。

为孩子买了架钢琴，付款的时候还没想到摆放的问题，想着随便腾个地儿出来不就摆下了吗？结果回来上网一查资料才发现，原来钢琴也不是随便摆的！我和老公考虑了好几个备选，都不满意。这个地方选哪里合适呢？客厅是不是音效会好点？好像去一些琴童家里看到他们都是放客厅的。但我们全家的主要娱乐都集中在客厅，这要是孩子一练琴，大家什么都做不了了。还是索性把书房改成琴房，这样可能相对要好些。还有，如果放在窗边，孩子练琴的时候是不是会容易被窗外的景物吸引走神？而且，万一哪天下雨忘了关窗，是不是钢琴被雨淋到就会出问题？哪方面想不到都有麻烦。

还有，钢琴的保养是不是很难？不弹的时候要用琴罩罩起来吗？有哪些防护上的注意事项？需要防虫吗？还有，我看到专门有钢琴调音师这种职业，那是否意味着我们也要定期请人来给钢琴调音？多久调一次合适呢？如果有一段时间不弹，琴是不是就会走音？应该如何存放才好？

在家长向我提出这方面的问题前，我还真没想到，这些问题也会对大家造成困扰。不过转念一想，的确如此，我的父母都是专业搞音乐的，钢琴就和桌子、柜子一样，是家里当然的一分子，这些细节他们自然很清楚，而我自小耳濡目染，也觉得这些都是非常简单的事情，但对从未接触过钢琴的家长来说，

肯定有很多问题需要解答。

首先来说钢琴的摆放。音乐厅里是专门为钢琴留出一间琴房的，不演奏的时候，钢琴专门存放在这里，温湿度都有专门的标准。而在家中，这种条件很难达到，那么在客厅或比较大的房间里隔出专门空间来放琴也是可以的。但至少要注意，摆放钢琴的空间，不能过干、过潮。举实际的例子来说，北方屋里冬季有供暖，暖气会让家里的空气十分干燥，木质和绒质构件可能收缩变形，这将导致产生杂音以及弦轴钉松动，钢琴失掉音准。而用地暖装修的家庭更要注意，地暖对钢琴是不利因素，特别是绝不能把钢琴摆在暖气出口附近，否则暖风会对琴造成非常大的损害。至于冬天怕孩子练琴冷，把取暖器放在钢琴附近更是不对的，热源可能会损伤钢琴构件，导致音质下降。

南方城市的重点在于防潮，特别是江南一带，每年五六月进入梅雨季节，潮湿的气候常会造成钢琴木质的霉变、脱胶甚至变形，而钢琴的击弦机构件是由绒、毡、皮及木材构成的，对湿度非常敏感，湿度高会导致琴声沉闷、琴键失灵等问题。所以，在这个阶段，一定要注意干燥通风，也可以采取在家中放置除湿机或在钢琴附近放置干燥剂的应急办法。

另外，钢琴不要贴着外立面墙壁摆放，不要置于窗前，钢琴的外壳是木质的，阳光直射和温度过于大幅的变化会伤害它。还要保持良好的通风环境，如果可能，钢琴置于房屋中央，不靠墙这是最好的。

平时在钢琴上不要堆放杂物、重物，比如放插花固然好看，可一旦不小心碰翻花，水渗入钢琴内部麻烦就大了，所以，除了乐谱和节拍器，其他任何东西都请远离钢琴，这些都是需要注意的细节。

此外再补充一点钢琴的清洁问题，用干净的软布轻轻擦拭是最好的，慎用清洁剂，化学成分有很大概率造成钢琴外壳或琴键的伤害。

而钢琴的调试是需要定期来做的，每年要调两次音，搬家后一定要调音。至于调试和维护，原则是只要出现问题就要及时修理。比如钢琴发出奇怪的声音就要及时检修，家长千万不能懒，觉得八十八个键只是有一个出问题，"反正孩子暂时也弹不到那个区域"，不，虽然也许它暂时不会影响最近在学的曲子，但不能让孩子在一架有技术问题的钢琴上练琴。

琴童小故事：纪录片《钢琴调音师》

《钢琴调音师》（Pianomania 2009）是一部有关调音师的纪录片，维也纳首席钢琴调音师史蒂芬·克努佛，为我们展示了在古典音乐的世界里，调音师是如何散发独属于他自己的光彩的。每一部钢琴所弹出来的DoReMiFaSo在我们听起来可能都一样，可是在某些爱乐者耳中，就是不一样。电影记录了这位调音师和不同顶尖演奏家的合作轶事，不管演奏家们对琴音的要求是如何不近人情，调音师都会使出浑身解数调出令演奏家们满意的音色，以便让这些即将在维也纳演奏的钢琴家们有一架完全能表达他们巅峰演奏能力的钢琴。看完这部纪录片，你会对调音师的工作有完全不同的认识。

第二节　钢琴课开始了

陪着孩子第一次踏进钢琴教室时，学琴之路，在孩子眼中可能是一张等待涂抹绚丽图画的白纸，但家长应该对很多事情都已心中有数！

❋ 钢琴教材，学琴之本

初学教材一定要有趣，有故事，有色彩，有游戏。进度适中，不要一味求快，重要的是为孩子徐徐展开愉快的钢琴世界。

以前孩子还没学琴时，我逛书店时，偶尔会路过音乐教材区，当时的印象是钢琴教材最丰富，足足摆满好几个书架。

现在自己的孩子开始学琴了，我去挑教材，却发现，音乐教材区的钢琴教材虽然多，但根据不同的水平来分，适合每个等级的书就不算多了，而且以《钢琴基本教程》类的书居多，那种朴素的风格，我是挺喜欢，但小孩子能看得进去吗？满眼看过去，车尔尼和小汤普森是两个最高频出现的名字，我在十几年前好像就看到是他们，现在还是，难道钢琴教材都永远不用改进的吗？

最后孩子的爸爸说了一个解决办法，咱别自己挑，问问老师，老师说用啥就用啥。老师推荐说就用小汤普森的《现代钢琴教程》，这个最经典，但我上国外网站查了下，发现它的评价其实一般。我虽然不懂钢琴教材，但我比较会挑童书，我觉得孩子最喜欢的书，都是颜色比较鲜艳的，有卡通感觉，或者在造型上有一些创意的，现在，虽然已经买好了小汤普森的书，但拿在手里给孩子看，他完全不感兴趣。教材的问题，茅老师可以给些有针对性的推荐吗？

我初学钢琴是30年前。一个有趣而无奈的细节是，这30年我们中国的一切都发生了翻天覆地的变化，但唯独学琴的教材没变，还是小汤普森。在国外，这套教材早已不再被看好或采用，而在国内，它仍然广泛被接受。我想这是一个习惯的沿袭，但这个习惯是到了该改的时候了！

当然，"汤普森"在这30年里也不是完全没变。我小时候用的教材是完全无图画的，现在改版的新教材，加进了一些卡通画和鲜艳的色彩，能更吸引学琴的小朋友。但这点改进并不能弥补它的缺陷。它以指法为先，而不是以音或音准为先，将孩子的手指局限在那一小块区域内。汤普森钢琴教程培养出来的孩子，在很长一段时间里只认识钢琴中央的两个八度，而不能完全熟悉八十八个琴键的全部区域。另外，从现在的教育观点来看，汤普森教程的进度偏快了一点，小孩子学会新的东西后，是需要时间巩固一下的。但按汤普森教程走，没有充足的时间熟悉练习，就进入下一阶段了。

我是比较赞成引进一些国外的新教材，或者邀请有能力、有经验的老师，自己根据学生的情况，专门编写教程。无论是哪种情况，最起码，一个钢琴老师手中，怎么也应该有三四套他自己比较熟悉的教材，根据不同孩子的情况使用。4岁初学琴的孩子喜欢色彩鲜艳明快的教材，每翻一页，就有新人物出现，有新故事可讲，从故事开始学习，这样有利于孩子接受。而如果是七八岁的初学者，就可以选用更成熟一些、进度快一些的教材。 总之，不同年纪、不同性格的孩子，用的教材也要有针对性，最忌讳的就是什么孩子都用一套教材。

教材和衣服一样，适合孩子的，才是好的。我有一些原则可以供爸爸妈妈们参考。

1. 教材编制的进度不能太快，宁愿慢一些、浅一些，让孩子在基础阶段学得更扎实。基本功对他将来发展是最重要的，如果在初学阶段一味图表面上的快，最后可能适得其反。

2. 给小孩子学的教材，不仅图画要彩色的，音符最好也是彩色的，甚至页面上故事多过乐谱更好。其实什么版本无所谓，但一定要有吸引力。家长不要过于讲究一定要有实打实的教学知识，启蒙教育更注重的是让孩子爱上钢琴。

3. 要有些游戏加在里头，比如，有的教材里面有小游戏，让孩子用手指在钢琴上找出所有的"Do"，这是对孩子音乐创意的启发，也是帮他熟悉钢琴，原来钢琴上还有这么多Do！这种互动感是吸引孩子更喜欢弹钢琴的重要环节。

4. 教材所选的曲子，不能局限于中间琴键，而是要让孩子能接触到所有的八十八个琴键。注意，是八十八个琴键，不能单让孩子弹白键，在非常早的时间段，就要让孩子接触到黑键。这样，他对钢琴的认识才是整体的。

琴童小词典：汤普森是谁？

约翰·汤普森，美国人，他的身份是钢琴教育家。出版了约翰·汤普森钢琴教程系列，其中的《现代钢琴教程》（即俗称的大汤）、《钢琴简易教程》（俗称小汤）在世界范围内有广泛的知名度，有多种文字版本，特别在中国，后者被当成是初学钢琴的入门教材。汤普森钢琴教程以对音乐名作的简易改编为特点，深受中国的师生和家长喜爱。

※ 钢琴教室里的特殊学生：妈妈

家长一定要陪初学的孩子上钢琴课，但绝对不要在课堂上充当老师的助教。

4岁半的儿子开始上钢琴课了，因为他年纪还小，培训中心特地要求家长陪着一起上课，照看他的同时，也要帮着让孩子专心听讲，当然，最重要的是，把老师讲的都记下来回家帮孩子复习。对从未学习过钢琴的我来说，这也是一项蛮艰巨的任务。

我对此不能理解，难道没有专门针对孩子的课程吗？孩子学琴，妈妈陪练这事儿我可以接受，但为什么非得陪着他上课呢？早在一年多前，我们送他去上早教中心，两岁多的孩子都可以独立上课了，为什么钢琴课不能？学生也并不是很多，一共就七八个，而且家长之前也可以告诉他好好听话。我不解的问题挺多的，让家长陪着，上课的时候，因为家长多孩子也多，秩序还特别乱，上节课，因为有个孩子不听话，有个爸爸怎么说也不听，最后当堂动手了，结果孩子号啕大哭，其他小朋友的情绪大受影响，老师最后只能提早结束课程。我儿子在回来的路上还怯生生地问我，妈妈，你会因为我学不好琴打我吗？我觉得这对他的影响特别不好。

特别声明下，我不是想偷懒，而是想搞清楚这里面的道理，这样上课才会更有效率。另外，我也想请教下陪孩子上课的家长，应该遵守哪些规矩？像上次那位课堂动手的家长，是不是太不应该了？我们应该如何制止他？

上课的时候家长该不该陪？能不能发言？第一个问题的回答是"绝对应

该"，第二个是"绝对不可以"。

初学琴的小孩子上钢琴课，家长一定要陪。这会让小孩子一开始就觉得练琴不是他一个人的事情，而是和妈妈共同的任务。我觉得妈妈甚至可以摆出这样的姿态来："妈妈也不懂，所以要跟你一起学。"上完课之后，要常常和孩子交流，问老师今天说了什么，你听得懂吗，妈妈这里听得不是很明白，你能不能解释给妈妈听，这种互动，首先让孩子感觉他是不孤单的，其次鼓励了孩子学习的自信。

我小时候每堂钢琴课，妈妈都是陪着的。不过她从不干涉老师的讲课和我的弹奏，只是静静地坐在我身边，而且后来越坐越远。但哪怕她坐得再远，我的安全感都非常充足，因为我知道，只要我需要，她随时可见。

这是一条纪律：陪着上课的妈妈绝对不能发言！妈妈坐在旁边，不是监督，也不是助教，她的职责就只是在旁边观察，学习，记录，或者是孩子出现某些老师不能解决的特殊情况的时候出手帮忙。一个好老师，是会在钢琴谱上帮小孩子做一些注解的，妈妈只是做辅助记录。这个辅助记录用于家长在本周内陪同孩子练琴时需督促的要点。

从第一堂课起，妈妈就一定要辅助老师树立尊严。老师的话，是在这上课

的半小时或45分钟内一定要尊重的。老师布置的功课，也是一定要尽全力来完成的。在每一堂钢琴课之间，家长最重要的任务无非是两个：一、帮助孩子记下老师对下一堂课的要求；二、帮助孩子在一周内顺利完成老师的要求。

另一种常见的情况是孩子不听话，家长在旁边不能坐视，想要有所动作的时候，我的意见是让家长出去。特别是她想要教训孩子时，一定不能让这种情况在课堂上发生。老师第一堂课之前就要问家长，你的性格是什么？你觉得你可以坐在这里不说话吗？如果家长的性格比较暴躁的话，或者觉得自己可能忍不住发脾气，那就最好请她在外面等，不要进课堂听课。

至于说到了什么时候可以不陪孩子上课，我觉得这个可以视具体情况而定。如果孩子能够自己独立听讲，并且很理解老师所教的内容，回来后也能够照老师的布置完成作业，对妈妈也没表现出特别的依赖，我觉得，这时候的妈妈是可以慢慢撤的。而在学了两三年钢琴以后，七八岁的孩子完全可以有一些时间让他自己去上课。接他的时候，妈妈别忘记问他，今天老师跟你说了什么？今天哪个曲子弹得好？哪个弹得不好？今天学的最难的你觉得是什么？让小孩子对这堂课有一个重新的回忆。这时候的妈妈，虽然不陪着上课，但却仍然是老师最好的帮手。

※ **家长和老师沟通的技巧**

在孩子面前要保证老师的尊严，和老师的沟通要避开孩子进行，沟通的内容则尽可能客观、详细。

我觉得真的该找老师谈谈了！一首曲子都练了两个多月了，觉得根本没什么进步。看看孩子，的确也在很认真地练，练来练去都没长进，是我们孩子笨不适合学钢琴吗？我觉得不是，因为在之前，他的进步是很明显的，老师也夸过他是个学琴的好材料。那么，是老师教的方式需要调整了？还是这个曲子正好是我们孩子缺点体现得最明显的？这个我不好说，但我觉得，不管是哪方面的原因，约老师谈谈都是需要的，如果是孩子突然出现了什么问题，我没看出来，老师也应该有所察觉啊。要是老师的问题，那就更得跟他谈谈如何解决了。

不过，我查了下时间，老师的课表是排满的，这个钢琴培训学校可能是太火爆了吧，每两节课中间只有十分钟休息时间，我总得让老师喝口水上个洗手间什么的吧。而且，十分钟也未必能够谈完。要不然，在孩子上课的时候找他谈？这就更不合适了，孩子听见了会怎么想老师呢？第一堂课之前老师就说过，家长一定要注意帮助维护老师的尊严。那么，是需要约老师出来谈还是怎么做？谈话的方式有什么需要注意的？他会不会误会我就是指责他教得不好？需不需要给老师准备个小礼物什么的？请老师给指教下。

第一条原则：在课堂里父母要保证老师的尊严。即使老师说的话有值得商榷之处，也不能当面指责，而是事后沟通，回家以后，也千万不要和孩子谈论老师的对错。

第二条原则：父母和老师的交流，应该背着孩子，特别是对孩子有负面评价的交流，绝对不能当着孩子的面讲，损伤他的自信。上完课，让孩子先出去，告诉他："妈妈和老师说几句话，你在外面等我们。"

第三条原则：如果要和老师交流，不要占下一堂课学生的时间，也不要占用老师休息的时间。可以在开始上课前，提前告诉老师，请他早下课10分钟，用这10分钟来和老师交流，这是有礼貌的做法。

至于和老师交流的内容，我觉得可以实话实说。老师都是专业的，不会因为你反映问题就觉得你是在批评他甚至生气，只要你的确是如实表达自己的感觉就可以了。而且，你传达的信息也能够帮助老师检查、发现他工作的成效究竟如何。为了保证沟通效果，家长可以事先多做些准备，比如在笔记本上列出以下这些信息：孩子存在哪些问题；你对这件事情的看法；你期望达到的目标等。在沟通的时候开门见山，把问题明确传达给老师，以他的专业水准，能够找准孩子的问题，或是调整自己的教学方式。如果几次沟通仍不见效，也不要过于勉强，非得着急让老师按你说的做或是索性随老师怎么教，问题还是要解决，如果孩子是在钢琴培训学校上课，可以考虑更换老师。

钢琴小故事：名师西西里·珍哈德

西西里·珍哈德（Cecile Genhart）具有相当出色的演奏技巧，师从 Ferruccio Busoni（意大利作曲家、钢琴家），曾被列入当代最优秀的钢琴家之一，然而她把钢琴生涯里的绝大多数时间献给了钢琴教学，从27岁起，她在美国著名的伊士曼音乐学院（Eastman School of Music）任教54年，教出了巴里·斯奈德（Barry Snyder）等一批辉耀世界琴坛的人物，在当代钢琴史上拥有非常独特的位置。

❋ 琴谱，要让孩子自己拿

学琴，不光是培养单纯的钢琴弹奏技巧，同样也是对孩子进行性格教育的大好时机。如果孩子能知道练琴是自己的事情，每天自觉练琴，那就要恭喜父母了，他不仅在钢琴学习上能够更进一步，情商学习也很有成效。

陪儿子去上课，每天叫他练琴简直是斗智斗勇啊。上课么，要你把所有东西都收拾好，什么东西落下，他就会在课堂上发脾气，说都怪你。练琴么，要提前半小时就开始三催四请，不然他就会说没准备好，又要说服他又不能强迫他，毕竟琴得他自己动手弹。我觉得自从儿子弹琴后，我就变成了悲催的老妈子！

就这样，儿子也不满意，他还特别多理由，什么"妈妈你这么喜欢钢琴你自己练好了，为什么非要我练啊"，"练好钢琴有什么用啊，又不是人人都能成郎朗"，每每用这些歪理气得我头疼，其实他该练还是会练，但就像完成一件任务，每次都要啰嗦很久。

我们从小对孩子的教育是比较自由的，鼓励他说自己想说的，而且也会很尊重他的意见。但我觉得，在练琴这件事情上，家长是不是还是要多一些"独裁"？因为完全放任由他自己做主，他就会偷懒、想玩、磨洋工，而且小嘛，也不能理解家长就是一门心思为他好。我特别想问，有什么妙计，能够让孩子自觉练琴，知道练琴是为自己好？

　　你有没有想过，孩子不把练琴当成自己的事情，而是当成爸爸妈妈的事情，根由不是他不懂事，而是因为爸爸妈妈做得太多了！

　　我回国后巡回授课这几年，发现一个有趣的现象：琴童所有的琴谱和书本，都是家长帮着拿。选一个周末的日子在上海音乐学院边上走一趟你便可以看到，那些十几岁的男孩子了，个子快赶上妈妈高，提琴和琴谱还都是父母拿着。这在美国可是绝对看不到的！

　　这样的包办，很容易给孩子造成的暗示就是：琴谱爸爸妈妈拿，琴是为爸爸妈妈而练，学钢琴和我没有直接关系。

　　我建议所有的家长，从小事开始，让孩子明白练琴是自己的事情，让孩子懂得独立的重要性。琴谱让孩子自己拿！包括练琴时要准备的一系列物品，也让他自己准备。家长可以在旁边指导、帮助，如果他有遗漏可以提醒他，但绝对不要全盘包办。这是一个心理上的暗示：练琴是孩子自己的事情，所以，和琴相关的东西，孩子都要自己负起责任来！

其实除了拿琴谱外，还有很多事情可以让孩子自己做。包括每天练琴选在什么时间段，除了必须要完成的作业外，今天还想弹哪些曲子等。中国的家长对孩子很多时候很溺爱，上完课就给他买零食或买玩具什么的，但是真正和孩子平等地交流，还是差一点。道理很简单，自己做主，有更多的权利，也就意味着要承担相关的责任。不要看轻孩子的独立能力，他完全可以理解并做到这些。

我们再举几个实例。在选老师的时候，家长不要包办，认为哪个老师好就自己决定。其实还可以征求孩子自己的意见，问问孩子，你喜欢这个老师的声音吗？愿意跟他一起上课吗？再比如，在选曲的时候，请老师多示范几个曲子，让孩子选择，他最喜欢哪一支的旋律？最想弹哪一支？孩子是会对自己的选择负责任的。

最能够让孩子觉得自己能够负起责任来的机会是，当孩子几个曲子都学会了，可以开一个小型家庭音乐会的时候，让他自己选曲，自己决定邀请哪些家人和朋友来听他的音乐会。即使孩子很小，但他也懂得对自己的选择负责任。做家长的，从小对孩子要有一个尊重，而不是试图全盘控制他，让孩子养成什么事都不管的习惯。

琴童小词典：铃木教学法(Suzuki Method)

　　很多家长经常听到铃木教学法一词，在美国它也比较常见。该教学法由日本现代教育家铃木镇一所创立，是世界上较为著名的音乐教学法之一，它注重音乐技能与音乐内涵之间的传授关系，从儿童开始，将音乐教育作为培养人的一种手段与方法，通过音乐教育，培养"全面而自由发展的人"。开始仅应用于小提琴的教学，后又推广至其他器乐教学，铃木钢琴教学法是其中的一个分支，在教学生如何使用钢琴这门乐器表达音乐的过程中，培养其音乐素养，丰富其精神世界，健全其人格品质。

第三节　陪练这件事

　　陪练是家长对孩子责任心的体现。既然决定让孩子学钢琴，你就要做好陪练的准备。既然已是为人父母，既然已决定让孩子专心学一门乐器，那么家长就必须做出一定的牺牲。

❋ 初学琴童，妈妈一定要陪练

无论有多忙，每天的半个小时总能想办法协调出来，陪练妈妈对孩子的成长，有着至关重要的作用。

我看到不少音乐亲子杂志都提倡父母陪练，但我每天都要上班，还经常加班，朝九晚五都很难保证，碰到出差就更头疼了。老公比我还忙，孩子小时候学琴时我特地辞职，陪他上了一年课，也是给自己调整下。但现在我既然工作了就要对工作负责，想不到陪练也能搞得我们疲于奔命。先开始是每天半个小时，现在加到每天一小时，孩子倒还好，下午放学后由保姆接回家，写完作业就可以开始练了，但问题是：那个时候，我们可能还在工作中！

那只有我和他爸爸轮班陪练了，我们通过写练琴记录的形式来保持延续性，这样还算好，不管是我陪还是爸爸陪，孩子都觉得没什么大障碍。但最近有了新情况，老公被外派纽约半年，剩下我一个人，又要工作又要陪孩子练琴，真的太紧张了。我现在的解决办法是三不五时地请假，能陪的时候尽量陪，结果，工作上领导对我意见越来越大，孩子也没觉得我有多经常陪他。朋友建议我请位陪练老师，他给介绍了一位，是专业音乐学院的大三学生，水平绝对没问题，时间上则完全可以配合我们家孩子的时间，前几次我还不太放心，又陪了几次，觉得不错，就放心忙工作了。原本以为这样就万事大吉了，但我慢慢发现，陪练老师其实不太负责任，我每次问她，孩子练得怎么样，她都回答练得挺好，但孩子进步不大，老师也批评说没有认真练习。看来此路不通，练琴不光是练孩子，也是磨炼家长啊。有什么替代的解决办法吗？

　　小孩子学琴，对父母而言是很累的事情。但不陪练不行，家长的这个"懒"可是偷不得。前面我们说到过，在决定让孩子学琴以前，家长要问自己10个问题。其中最关键的，就在于孩子学琴之后，家长是否能给予大量的支持和时间。而且一旦决定了，不可以出尔反尔。其实孩子学琴，开始时不过每天半个小时，建议家长一定要在百忙之中抽出时间来陪孩子练琴。等孩子稍长大一些，学琴程度深了一点，家长就只需要在家中"带个耳朵"，不必贴身陪练。爸爸妈妈在这时候，其实已可以同时做别的事情，比如上网工作、看书、做家务等等。我认为只要家长统筹好自己的日程，这一两个小时的时间是肯定能抽出来的。说到家长的付出，其实国内的很多妈妈堪称是世界上最伟大的。

为了孩子学琴，她们放弃了自己的一切！

我，就有这样一个伟大的妈妈。

最近我在国内经常看到一种时髦的现象，就是把孩子送到钢琴学校，让陪练老师陪着练。如果孩子的钢琴技艺有相当程度了，这倒也不是不可以考虑，但这对初学琴的小孩子来说，意义实在不大。一则，钢琴学校的琴房不可能完全隔音，效果不好。二来，在这里练，时间很容易掺水分，很多小孩子聚集在一起，心不会放在练琴上。还有，陪练老师真能像家长一样在乎、重视孩子各方面的成长吗？

如果你是一名职业女性，朝九晚五的时间实在调整不过来，我建议可以把孩子的练琴时间放到早上或者是晚上。因为初期学琴的孩子，每天也不过练半个小时，在一早一晚应该能找出适当的时间。

琴童小故事：早晨练琴的约瑟夫·霍夫曼

波兰著名钢琴家约瑟夫·霍夫曼的演奏技巧为世人所称道，在他关于练琴方式的论述中，有一条便是关于练琴时间段的选择，他最喜欢在清晨起床后，早餐前的半小时或一小时练琴，他觉得这样比其他时候练琴更高效，因为刚刚醒来时头脑清楚，对弹奏和理解乐曲都有极大的帮助。

※ 练琴，规矩、规律最重要

在刚刚学琴的时候，老师都会说规矩要从头开始立起！练琴的时间可以短，但一定要固定，要养成良好的练琴习惯才有利于以后的进步。但是，有的父母很疑惑，到底有什么办法帮孩子养成良好的练琴习惯？

教孩子做算术或是背古诗，这个我们都会，但是一说练琴，我和老公都翻白眼，我们俩都是做市场的，不懂这个。他弹得音准不准啊，节奏对不对啊，完全听不出来，就凭孩子自己弹，然后每周去听老师怎么评点。但这样不是长久之计啊。另外，每次练琴，孩子小动作都特别多，只要一眼没看到，他就开始偷懒，而且，一会儿要喝水，一会儿要上厕所，一会儿说肚子饿，我们又不能不让他喝水上厕所，但明显他是在借机磨时间，每天让他练琴都像打仗，而且效果也一般般。老师说了，日常练习很关键，怎么能把孩子练琴的效率提高，从开始就养成良好的练琴习惯呢？

我们打个比方：如果想让孩子身体健康，只靠补充营养品肯定不行，一日三餐要营养足够才是最关键的。如果把上课比喻成补品，那平时的练习就是一日三餐，它的重要性不用多说家长也能明白。但的确在现实中，许多家长都为孩子练琴效率不高而发愁。我在这里要提醒各位：孩子不喜欢练琴，不是偶然是必然。人想偷懒那是天性，更何况天真的孩子们！现在的生活里能吸引孩子的"趣事"太多，从上网到Wii，哪件事情不比练琴更有意思，更好玩？

　　重要的是孩子和家长从一开始就要养成良好的习惯。从4岁第一堂钢琴课起，练琴的时间就要固定，雷打不动！最不好的是想练就练，想不练就不练，这种坏习惯是今后"一事无成"的开始！孩子每天从几点开始练琴，练到几点，应该是个不可轻易改变的规矩。一旦开始练琴了，那练琴的时间里不可以轻易离开琴凳。家长和孩子可以一起规定一个中间休息的时间，一切"喝水，上厕所"之类的借口都必须在休息时间里完成。

　　在练琴时间上，有一个简单的推算方法供爸妈们参考。4岁的时候，每天有20分钟到半小时就足够。一周上一堂钢琴课，一堂课也应在半个小时左右。学了大致一年以后，孩子的琴谱也会多加一本，一堂课可能要延长到45分钟左右，那每天练琴的时间也可以适当延长到45分钟左右。到了6岁了，有

三到四本不同的琴谱，时间也依次增加。多增加一本琴谱就增加大约15分钟
练琴时间。

☀ 放松，姿势就会正确

不要责怪孩子姿势不正确，先从其他地方找原因。记住：身体上的紧张，
都是思想和心理上的紧张造成的。

为了让女儿练好琴，我在她3岁的时候专门报了一个成人的钢琴班，比起
那些和孩子一起入门的家长，我觉得这样做好处还是挺多的。至少在孩子初
期碰到的一些问题上，我可以为她解答。不过，因为懂得一些，操心的地方也
多。最近我苦恼的就是，孩子的弹琴姿势越来越不对，刚开始学琴的时候还基
本没大错，但随着学习程度的加深，我发现她手形也不对身体姿势也很拧巴，
说了好几次也改不过来。但去上课的时候，姿势又对了。这种奇怪的情形是怎
么回事啊？

是的，弹钢琴的姿势非常重要，但未必需要让孩子经常听到这句话。做大

人的，不管是陪练还是教学，不要把姿势坐正、手站好这些话时时挂在嘴上。往往是越说得多，孩子越想刻意去纠正，结果越紧张。其实弹钢琴，摆对姿势不困难：把双手放在身边自然垂下，再抬起来放到琴键上，就是一个正确的姿势。

我要说，所有身体上的紧张，都是思想和心理上的紧张造成的。比如让孩子突然学习一首程度太深的曲子，结果平时好端端的，但这次不知不觉怪动作就出来了。一弹回原先得心应手的乐曲，怪姿势又不见了。这就说明乐曲还太难，孩子根本不能驾驭。所以，陪练的爸爸妈妈，在发现孩子时而姿势正确时而出错时，先问问自己，是不是给孩子的压力太大了，曲子是不是太难了。姿势重要，但不要老挂在嘴上。爸爸妈妈只需经常督促孩子放松即可。

正确的姿势，从刚开始弹琴时，就让孩子在一个放松的氛围里养成。告诉他，声音轻一点不要紧，速度慢一点不要紧，但姿势要正确。有的孩子刚开始弹琴的时候手形有点别扭，这时候要和老师配合，先纠正好姿势才往下学习，宁愿牺牲一点进度。走错了路，再回头纠正就太浪费时间和精力了。

❀ 陪练，还要陪听

童声合唱、钢琴音乐会、芭蕾舞剧……所有这些形式的演出，都可以带孩子去看，他的学习能力是出乎大人意料的。除了上课、练琴外，家长还可以怎么帮孩子学琴？

　　我相信古人说的，功夫在诗外。弹钢琴这件事情，肯定不是只要每周去上两堂课，回家每天练半个小时就可以搞定的。对于我们来说，培养孩子学钢琴的最终目标，并不是希望他成为钢琴家（当然要能成为更好），而是享受由钢琴带给他的音乐享受，终身都有美妙的琴音相伴，我相信对于音乐素养的培养，也应该是很重要的事情。不过，我能想到的，就只有带他去听音乐会而已。还有哪些好的方式推荐给我们？

　　我的意见是，多听音乐会，交响乐、合唱各种形式都去。童声合唱特别要带孩子去听、去看。包括多媒体的音乐会、动画片的音乐会，这些都非常好。不一定要特别古典，即使有一定流行音乐的感觉，也无所谓。孩子学钢琴但未必一定要听钢琴的独奏会。妈妈如果喜欢听理查德·克莱德曼，孩子也不是不能听。芭蕾舞剧？带孩子去看。音乐剧？带孩子去欣赏，像《猫》这一类，能结合动作舞蹈和音乐的剧目，会让孩子很自然地懂得很多东西。

中国孩子的环境里，古典音乐只局限于他练琴的这个过程中。但在学校和其他地方，就很难听到。不像欧洲的小孩子在古典音乐里长大。所以我建议，所有的家长，在吃饭的时候，开车的时候，在休息的时候，偶尔放放肖邦、莫扎特，隐约有点背景音乐，对孩子的熏陶是很好的。

但说到听音乐会，我一直不建议让太小的孩子去，哪怕是四五岁已经开始学琴的孩子。因为音乐会一般都要一个多小时，孩子很难坐得住。要等孩子有一定的忍耐力、克制力了，才能允许他们去听音乐会。一旦孩子做好了准备，家长要以身作则，在音乐会进行时不能说话，不能走动，保持绝对的安静。不能迟到，不能早退，即使听不懂也不能发出声音。

要想让孩子今后做一个台上的人，就必须先教会他如何做一个合格的台下的人。台上的演员对观众的尊敬体现在给观众最好的表演，观众能给予演员的尊敬就是绝对的安静和秩序。这一点，我们中国的观众们，不管是大人还是小孩，还需大大地提高！

中篇

家有琴童初长成

（瓶颈篇）

看着孩子一天天成长，从什么都不懂的小不点儿，慢慢长成自信、聪明的少年郎，那感觉是非常骄傲的。在琴童的世界里，这种成长更为明显易辨识。他弹奏的乐曲，从断断续续到流畅动听，从单调重复到丰富多彩，一天天，为这个家增添着音乐的美。

然而，也就是在这样的成长之中，无论是琴童还是琴童的父母，都会面临着学琴以来最艰辛的挑战。和初学琴时的兴奋不同，这一时期的孩子们对钢琴已经熟悉，态度也由新鲜变成平淡，而每天雷打不动的练琴时间更可能让他们心生倦意。外加学习和考级的压力又在眼前，从身体到精神，琴童们面临的挑战都为父母的钢琴教育带来一波又一波需要克服的问题。

在这个阶段，我们一起来讨论的，是如何通过家长的正确引导，既让孩子按时按质地完成练琴任务，又不会因为过分的压制而导致情绪反弹。最重要的，这个阶段还是人格的重要养成期，如何通过钢琴的学习，为他的人生加入积极愉悦的元素，这，就是更深层次需要思考的问题了。

让我们先从最亟待解决的头疼问题入手，逐个赢得琴童瓶颈阶段的挑战吧。

第3章 练琴生活不枯燥

当孩子用稚嫩的小手，在琴键上演奏出人生第一个音符时，作为家长的你，从此开始了一段特殊的旅程。这段旅程里有辛劳，有欢笑，有感动，有骄傲。在孩子初次穿着小礼服上台演奏时，在你生日孩子为你弹奏出一首《生日快乐》的旋律时，在亲友欢聚孩子用琴声博得热烈掌声时……

但这段旅程里，更多的，可能是眼泪，是心疼，是犹豫，是争吵。在台上流畅的演奏背后，是无数枯燥的练琴的积累，是孩子对钢琴和音乐由爱到恨、又由恨到爱的心路历程。

如何让这些困难更快地被克服，让钢琴陪伴的童年时光更愉悦？让我们和孩子一起来努力吧。

第一节　识谱、背奏，学琴事半功倍

开始弹琴时就要学习五线谱，尽可能通过背奏增强听力、记忆力，扎实的基本功会帮助孩子在之后的学习中大大地提高效率。

✻ 小蝌蚪是不是一开始就要认识

五线谱在欧美国家的音乐教育体制中，是必修的基础课，我建议，从孩子学钢琴开始，就要学习五线谱。只要认准"线和间、Skip到Step、上和下、高和低"这四句十二个字的要点，就能够掌握五线谱的精要。

我们小时候上音乐课，顶多是学个简谱，能把哆来咪唱准，就算是很有音乐天分了，但我们送4岁半的女儿去上钢琴课，第一课，老师就直接教五线谱，那么复杂，我们看着都头晕，这么点小孩能学会吗？什么五条线、四个间的位置，各种时值的音符；音乐符号和音乐标记一大堆，翻开孩子的课本，连我们大人都犯晕，何况三四岁的孩子。会不会还没有开始弹琴，就把女儿学琴的热情全搞没了？

我能明显感觉出来，孩子对这个五线谱的教学也没有多大兴趣。下课后，我问女儿上课感觉怎么样，她的回答是："不是学钢琴吗？我就想去弹一下试试，可一节课都没摸到琴。妈妈，我们能换一个真正弹钢琴的学校吗？"说真的，我还真不知道如何回答她这个问题。我也知道正规的基础教学是该从五线谱开始的，但我也看到网上有不懂五线谱照样弹钢琴的说法，我觉得这些比较理论的内容，应该等孩子再大点，能够更好理解的时候再开始学不是更合适吗？实在不行，先学简谱，再渐渐向五线谱过渡不行吗？

※ 从正式开始学钢琴起，就需要认识五线谱

对那些觉得五线谱太难学的家长，我有四句诀窍告诉你，总共才十二个字，只要记清这个，学五线谱最重要的东西就尽在掌握了。

线和间。线很好理解，就是五线谱的五条线，中间的间隔，便是四个间。线和间的空间距离，决定着音和音的关系。相邻的两条线上的音之间、相邻的两个间上的音之间，相邻的线与间之间的音的关系，五线谱上音与音之间的基本关系就是这三种。

Step到Skip。把音符想象成一个活泼的小朋友在玩跳格子游戏，如从

"Do"到"Re"，就是从这格跳到相邻的一格，这就是Step。在五线谱上就是从间到相邻的线，或从线到相邻的间。从"Do"到"Mi"，就是越过一格，在五线谱上是从间到相邻的间，或是从线到相邻的线。

上和下。"五线谱，像楼梯，向上高，向下低。"这是一首为初学五线谱的孩子创作的儿歌，它能够让小朋友直观地把上下位置，在脑海中演换出不同的音符。

高和低。主要是分清高音谱号和低音谱号，五线谱中，不同音级的固定高度根据所用的谱号来决定。谱号常用的是两种，高音谱号，又称G谱号，低音谱号，又称F谱号。高音谱号和低音谱号共同拥有中央"C"，高音谱号由此往上，低音谱号由此往下。

五线谱初看复杂，其实它是最直观、最容易记忆的。而且五线谱在欧美国家的音乐教育体制中，是必修的基础课，对学音乐的人来说，它就是无国界语言。在国内，简谱较为通行，是因为它和我们的传统乐谱较为接近。日本也对五线谱不是那么重视，他们的观点是让小孩依靠听，靠耳朵记谱，这其实是有弊端的。其实，80%~90%的曲子都要靠看谱认识。可以说，如果一个钢琴学生会弹琴但不认谱，他的钢琴学习就是空中楼阁，丝毫不牢靠。

当然，小孩子四五岁就开始学五线谱，若只是刻板地讲解，孩子很难记得住。在长期培训钢琴老师的教学过程中，我也找到了一些不错的办法，对帮助孩子提高学五线谱的效率很有帮助。

　　刚开始学五线谱的时候，家长可以在家里放一块大白板，画上五根线，用彩色的扣子当音符，贴在上面。孩子每天走过来走过去都能看到，对五线谱有一个直观的认识，这种潜移默化的学习方式是小孩子最能够接受的。每天抽一些时间来游戏式地学习五线谱。最开始，可以逐个排列认识，允许他数一数，想一想。就像小时候教孩子做数学题，3+2等于几，刚接触算术的孩子有可能要掰手指头数一数，1、2、3、4、5，喔，答案是5。但后来，就可以直接报出答案来了。在孩子对五线谱有一定程度的熟悉后，就可以直接问他，放在这里的扣子是什么音？放在那里的音符又是什么？千万不要低估孩子的音乐学习能力。而且，无论是科学研究还是实际教学都证明，小孩子四五岁开始学图形式的五线谱，是比较容易的，而且学了就终身受用。要是先学简谱，以后随着钢琴水平的提升再不得不学五线谱，那才真的会乱套。

琴童小词典：五线谱

五线谱 (Musical Notation)：现在最为通用的一种记谱法，发源于古希腊，是在五根等距离的平行横线上，标以不同时值的音符及其他记号来记载音乐的一种方法。五线谱的每根线以及线与线之间的空间，自下而上分别称为第1线、第2线、第3线、第4线、第5线和第1间、第2间、第3间、第4间。

※ 背奏，在不知不觉中开始

选择几首旋律活泼的乐曲作为保留曲目，保证能够随时背奏，这样无论是对增进孩子的演奏能力，还是赢得自信都很有帮助。

最近我碰到了很头疼的问题。孩子已经学了几十首曲子，但没有一首能背奏的，老师觉得虽然他照谱弹得还不错，但不能背奏这是个问题，因为无论是比赛还是演出，大部分时候都要求背奏的。

背奏在孩子现在的学习阶段真有这么重要吗？我看到有些著名钢琴家上台还有琴谱架在上面呢。对这件事情，我的处理态度是先和孩子沟通，听听他的想法，孩子的想法我觉得也有道理，他说他真的会弹，而且对曲子也挺熟悉的，只是间或看几眼琴谱，并不影响弹奏，为什么一定要勉强背奏？他说一旦没有谱放在那里，他就觉得心慌，原本不要看的段落，现在也完全想不起来了，反而发挥不好。又不是明天就要考级或者上台表演，要真到了非背不可的时候再临阵磨枪呗。我应该支持孩子还是老师？背奏是一定要掌握的能力吗？孩子现在不看谱就不能弹好，到底是技术问题还是心理问题？

练琴并非双手只要机械地弹就好了，要用心。最不好的钢琴课是只动手，不动口，不动脑。孩子练来练去，只是手的熟悉度增加而已，他对乐曲的理解、对钢琴的认识并没有真正地增加，从这个角度来说，对乐谱的理解和适当的背奏都相当有必要！

我的意见是，孩子每次开始练新曲目，都要先读谱。上课的时候，老师除了示范之外，也要跟孩子过一遍整首乐曲的特点，讲解新的内容，复习旧的知识。最不好的方式，就是盲目翻开乐谱就开始弹。除了音，什么符号都不注意。

除了和大人一起读谱外，也可以适当跟老师沟通，培养孩子的独立识谱能力。教材中故意留出一两条不进行讲解，让孩子先自己去看，去读，去尝试着弹奏这段对他而言是全新的曲谱，看看他的理解有哪些好的地方，有哪些错误的地方，然后再请老师及时纠正。注意，纠正时还是要以鼓励为主，毕竟，这是孩子独立完成的事情。另外，这条特意留出来的曲谱，最好是难度稍低于孩子现在的水准的，不要让孩子被难度吓倒，觉得独立识谱是件特别难以达到的事情。

在放学回家的路上，或是刚到家时，妈妈最好能趁着孩子记忆犹新时再问一次，你觉得今天的曲子有什么困难？左手难还是右手难？最喜欢哪一首？越是初学的小孩子，越要坚持这样做，这样能够帮助孩子立即复习他刚学过的重点。每次学新曲子，都要争取在一开始就没有错音或错误节拍，以免今后再改正，非常浪费时间和精力。

当孩子学了四五个月钢琴，可以选一首他挺喜欢的小曲子，在弹熟练之后，试着把琴谱拿掉，说，我们来玩个游戏，看不要琴谱，我们能弹多少。在初学琴的阶段，就给孩子不依赖琴谱的机会。有的时候家长能看到，其实孩子的眼睛已经不盯着琴谱，那就更要把握机会，让他来试试背奏。如果不行，再回来看谱，看他在哪儿没记住，这个时候再看琴谱，他的印象会更深刻。在这样的情况下，他不知不觉就开始背奏了。

这样，以比较轻松的态度让孩子进入背奏，即使背不出来，他也会觉得这不过是个游戏，而不至于影响学琴的自信。这样的游戏不要太晚开始，等到孩子已经非常依赖琴谱再玩，作用就变小了。

有的孩子直到接触了考级或比赛，才第一次懂得什么叫背谱！孩子应该从学琴初期就有意识锻炼背奏能力，从小曲子、短曲子开始，这样今后才能得心应手地对待背谱。

另外，背奏还有一个比较有趣的益处，也是家长可以利用的。学钢琴的孩子，如果家长能多给他创造一下在家人、朋友面前表演的机会，让他多多被鼓励，那对增强孩子的自信心是非常有好处的。如果将来走专业钢琴家的道路，这种上台能力更是必不可少。具体的做法是：选择几首有表演价值的，孩子自己也喜欢的曲子，作为保留曲目，这个是必须要背的。背下来后，还要经常练习和巩固，以便随时在有表演机会的时候（比如到朋友家玩，或者去逛钢琴中心）就可以轻松弹奏，而无需把琴谱带在身上。

我一直和我的学生说，不管是大孩子还是小孩子，乐谱是有局限性，是黑白的。没有乐谱的音乐世界才是灿烂的，才是多变的。

琴童小故事：李斯特和背奏

李斯特是位开创演奏时代的钢琴家，在他之前，钢琴家和作曲家是合二为一的，演奏只是作曲家让人们聆听这首作品的形式，而李斯特开创了钢琴家单靠演奏便能令人们沉醉于音乐世界的历史，而他能取得如许成就的重要原因是：背奏。在李斯特之前，音乐家们很少背奏，而在他之后，看谱演奏则成为少数派。背奏使得钢琴家能够全身心投入到对作品的演绎中去，魅力自然大为增加。而李斯特的老师车尔尼，著名的钢琴教育家，也能够背奏贝多芬的全部钢琴作品。

❋ 业余可以，随便不可以

不管走不走专业道路，只要坚持弹琴，时间长或短不重要，重要的是在练琴的过程中保证质量。无论弹巴赫还是弹克莱德曼，都不可以有错误。

我们家是老公管孩子练琴，开始是我管，但因为总是狠不下心来要求，孩子一撒娇，我就让步，所以，经过我们坐下来认真商谈，管理权交给了他。但是，我也不可能就完全置身事外，特别是每次我看到他因为孩子不准时练琴，或是练得效果不好就吹胡子瞪眼，甚至对孩子大声呵斥时，我就很不理解，这样做，不是加重孩子对钢琴的反感吗？我们现在都提倡鼓励教育，为什么不能从正面角度肯定孩子，只是告诉他"宝贝儿，我们这里可以做得再好些"？但出于事先的约定，我又不能当着孩子面阻止他。

　　私下我们就这个问题沟通过很多次，一直也没有达成共识，只是在他过于暴躁的时候，我能够稍微让他平静些，根本分歧没解决。我的看法是，让孩子学琴，只是要让他通过钢琴，更深刻感受音乐之美，让他的人生多一种享受的方式。现在倒好，未见其利，先见其害，先不说学琴练琴孩子是要付出很多辛劳的，就在心情上来说，在感受音乐美之前，他先挨了这么多批评！一边抹眼泪一边弹钢琴，到底有什么意义呢？孩子肯跟我说实话——也许是抱怨或者投诉吧，反正，从他的说法来看，孩子对钢琴已经不像刚开始学时那样积极热情了，更多的时候，他像是在完成作业，那这样，和我们的初衷不是差得太远了吗？而老公的意见是，任何学习都是要付出汗水的，也许现在他会觉得委屈觉得累，但这本身也是对他性格的磨炼，不要被小孩子的眼泪骗到，再过几年，他就会从心底懂得为什么家长要这么要求他。老公也没有说一定要让孩子成为钢琴家，但男人的态度是，学什么，就一定要学出个样子来！我和老公，哪种看法才是对的？想请老师为我们分析一下。

我有一句话一定要强调：业余可以，随便不可以。

去各地巡回教学的时候，我也不止一次听到类似这样的说法。刚开始学琴的时候，一些家长就把观点传达给老师，同时也传达给孩子了，他说："我们是随便学学。"我要说，没有抱着非常功利的目标送孩子学钢琴，这很好。但"随便学学"这四字却是绝对错误的态度。

业余，不代表可以随便。的确，很多家长送孩子学钢琴，只是为了陶冶情操，事先就想好了不走专业道路。但家长起码要保证，在孩子学琴的这几年中，学到的知识是正确的，培养出的习惯和性格是可贵的。

我接触过的老师和家长中，如果仅仅是家长有这种错误态度，尚且可以通过老师来纠正。但若是老师有这种心理，害处就更大了。每次观察到类似的错误观点，我都一定会在课后和老师私下认真沟通。比如，小孩子上第一堂课，老师就问：你今后想不想走专业道路？这是绝对不成熟和不专业的。这时老师的潜台词可能是如果你想走专业道路，我们就高标准严要求；如果不想走专业道路，那就随意学学，无需认真。这种把业余和随便等同的观点，我们一定要尽全力来消除。

波兰著名的钢琴家简·帕德雷夫斯基说过这样的话："学习技术必须耐心、刻苦，并持之以恒；没有技术，艺术就不过硬，就没有风格，没有特性。练习曲、音阶、琶音、和弦等都是非常货真价实的，不能骗人。"

换个角度来解答这位妈妈的困惑，学琴，不光是学习弹琴，它对孩子是全方位的培养，包括性格方面。练琴可以培养孩子的自律性、责任心，如果父母拿捏得好，孩子不仅在音乐上能有所成就，对情商的培养也有很大的帮助。但如果抱着随便学学的心理，对很多事都会有放任自流的心态，结果学了几年琴，孩子苦也没少吃，家长钱也没少花，最后收获的只是几首弹得面目全非、错误百出的钢琴曲。

琴童小故事：不随便的罗曼·罗兰

比起随意学学钢琴、最后一事无成的人来说，诺贝尔文学奖获得者、写出《约翰·克里斯朵夫》这样巨著的作家罗曼·罗兰可是个有趣的反例，他没有正式学过钢琴，但他弹奏的水准据说相当被认可。最著名的一个故事是，当甘地前去拜访罗曼·罗兰时，请他介绍一些贝多芬的音乐，罗曼·罗兰不仅仅用言语描述，而且即刻在钢琴上演奏了李斯特改编自贝多芬第五交响乐的第二乐章。可以想见，一个能够写出《贝多芬传》这样严谨与文学魅力并存作品的人，他对于任何事情的认真程度。

第二节　成功路上，父母出招

孩子再有天分，再自律，也只是个孩子。想要克服学琴路上的重重障碍到达成功彼岸，还是需要父母的指引、帮助，甚至是直接出招，解决从为什么学琴这种精神层面，到外出旅游时如何坚持练琴这种细节层面的大小问题。

※ 他需要一个钢琴偶像吗

偶像意味着很盲目的崇拜，我认为欣赏、尊敬和佩服一个人就足够了。如果真要找榜样，那我觉得可以告诉孩子，每一个努力的、勤奋的、用功的人，都应该是他们的榜样。

每次喝牛奶，我太太都会指着盒身上的郎朗告诉儿子，你要弹成他那样！或者电视上有李云迪的独奏音乐会播出时，她立刻不管孩子在做什么，都要叫他来看，一边看，一边唠叨，你看，你要能弹成这样才是成功，什么都有了，人人都知道你，爸妈跟着你也光荣啊什么的。小孩子听得似懂非懂的，但我觉得太太的教育是给了他很大影响的，原本他不挑牛奶牌子的，但现在去超市就非得要郎朗代言的那一款！

对此我挺不赞成的，送儿子学琴就是为了陶冶情操，能走到哪一步是哪一步，当然听到老师夸儿子有天赋我们也高兴，也悄悄想过孩子将来如果成名成家是怎样一种场景，但成人有自己的阅历，知道哪些事情是想想就可以，哪些事情要脚踏实地地做的，如果失败也能够自我调节。但孩子没有，何必太早给他那么多目标？如果孩子学不出个什么来——这种可能性很大，有天赋的孩子多了，中国才有几个郎朗，那他幼小的心灵能够承受这种打击吗？我的意见太太不同意，她觉得小孩子又听不懂大道理，像这样给他找一个实打实的目标，多好，让他就以此为努力方向！不想当元帅的士兵不是好士兵，弹钢琴，都不想着成名成家，那何必非得兴师动众地学，什么不能陶冶情操，画画也能啊。我们俩经常为此争吵，偶像的作用有这么强大吗？对小孩子说得这么直接好吗？特别是还说"弹成名就什么都有了"，这完全是错误的教育方式，即使是郎朗，就能说他什么都有了吗？我想劝太太，但是又吵不过她，老师能够分析一下吗？

很多记者问过我有没有偶像。我说绝对没有，因为偶像意味着盲目的崇拜。对小孩子来说，每一个勤奋、独立的大哥哥大姐姐，都可以是榜样。我最不赞成给孩子"长大以后一定要成为谁谁谁"的压力，我也不认为在孩子还不懂得成功的真正含义的时候，就给他树立"只有成为这种人才是成功"的观点。

举一个我深有感触的自家的例子。我爷爷茅以升在我心目中是很了不起的伟人，他教育孩子的标准就是成名成家。结果我爸爸他们兄妹六人，没有一个认为自己已经是成名成家的，但其实他们都是教授，都是行业内的佼佼者。在外人看来他们已经很成功了，但他们自己从来没有同感。我伯伯是哈佛的博士，在联合国机构做总工程师，可他一辈子觉得自己的人生很失败，很压抑，很失落。因为他没有成为像自己的父亲茅以升那样的人，没有成为茅以升第二。

成功的定义不应该那么狭隘。

我欣赏很多人，佩服很多人，但未必我就要把他当成偶像。特别是我们这个时代，一部分人对电影明星、歌星的崇拜是没有依据和冲昏头脑的。我认为更多的应该是欣赏、尊敬和佩服。如果真要找榜样，那我觉得可以告诉孩子，每一个努力的、勤奋的、用功的人，都应该是他们的榜样。

要说完全照搬偶像的成功模式，那么郎朗小时候挨过爸爸的打，难道每个琴童都必须挨爸爸的打？郎朗小时候家境不富裕，难道现在条件不错的家庭为了培养下一个郎朗都要去找回苦日子？

音乐家的童年有可能会是常人想象不到的艰苦，莫扎特是公认的天才，他还没有学钢琴时，在旁边看姐姐学，就能够弹出姐姐怎么也弹不好的练习曲。6岁时，他便举行钢琴独奏会，小小年纪就能写奏鸣曲，这样的天才，你可以想象他的童年是怎样地被利用起来的。而李斯特的童年是完全在钢琴前度过的，小小年纪每天从日出弹到日落，甚至有一次，他因为自己的手太小按不住八度音程，想到要用爸爸的剃须刀割开自己的手指，这样它能够更长，掌握更宽广的领域。还好，这件事情被爸爸发现并制止了，而10岁的李斯特被带去见车尔尼时，大师已经被天天送上门的天才琴童们搞得厌烦不堪了，李斯特自顾自地弹起来，用他的技巧征服了大师，在被车尔尼收为学生后，他每周三次风雨无阻地前往老师家学习，毫无怨言，要知道，他还是个10岁的小孩子。现在的孩子能做到这一点的，有几个？

还是那句话，艺术家的成功，是不能一味去模仿的。每一个人有与生俱来的才能，有基因决定的性格，有不同限量的能力，更有命中注定的运气。家长可以做的，是尽量开发自己孩子的能量，在允许的条件下促使孩子做一个努力、勤奋、有文化、好性格的"幸福人"。

这，比所谓的成功更可贵，更现实！

❋ 鼓励比批评更有力量

我希望我们的家长，能够90%鼓励，10%说哪里可以做得更好，0%用于批评。因为孩子做得不够好，这不值得批评。

我看到不少育儿书，都说在教育孩子时，家长不妨一个唱红脸，一个唱白脸。这样，既能够让孩子感觉他是被尊重的，被理解的，家长又能够保证一定的权威性。而且，一个严，一个宽，如果发生什么矛盾，也有个缓和余地。我觉得这招也可以用到教孩子练琴这件事情上。事先也向不少大孩子的妈妈取经，她们都说，一个人负责孩子的全部钢琴教育太累了，又要严又要爱，老师布置的作业一点折扣也不可以打，哪怕孩子抱着大腿哭也得保质保量把琴练下来。但当妈妈的哪有不心疼孩子的，而且从心底的确也认为每天练一个小时的琴对谁都不是易事，况且这小小的孩子，所以，这边板着脸督促练琴，那边就想把孩子抱到怀里好好亲亲他。这样做，自己矛盾，孩子也可能因为看穿妈妈还是心疼他的，哪怕你表现得再严厉，他还是跟你讨价还价。

我觉得按我的设想，应该能避免这些妈妈犯的错误。我扮红脸，老公扮白脸。每天练琴这件苦差事，我得表现出对儿子的充分理解，好言相劝，用鼓励教育，让他自动好好练琴。如果好的不听，扮白脸的老公再上，该严格的时候还是要拉下脸来。想得挺好，结果，刚开始学琴的大半年，这样的招数挺管用，虽然孩子有时候会不懂事，说爸爸最坏了，还是妈妈好。但慢慢地他也疲沓了，特别是最近当练琴时间加到每天一小时后，这招不好用了，不管是我苦口婆心地好好说，夸着他，哄着他，还是他爸爸拿出严父的架子来严厉呵斥，他就是磨洋工，一会儿要喝水，一会儿要上厕所，一会儿又说不舒服想歇一会儿，坐到琴前面屁股上就像长了滑轮似的……

　　我可以赞同父母有一方"留一手"。这个"留一手"的，通常是爸爸。万一碰到妈妈讲话无效的时候，爸爸出场。不是因为爸爸打人力量大，而是爸爸更具权威性。平时爸爸不太参与孩子练琴，偶然发言孩子会比较重视。

　　不过，我不理解，为什么要一个红脸，一个白脸呢？为什么不能两个都唱红脸呢？

　　中国家长比较吝啬。这里的吝啬不是指物质上的，我觉得在对孩子的物质关照上，中国的家长已经做到竭尽所能了。我所说的吝啬，是精神上的。最明显的表现，就是吝啬于对孩子的表扬，对孩子的"吹捧"。

　　其实对孩子的表扬是家长最需要做的。孩子天性希望被表扬、被鼓励，这能增加自信。对于艺术家来说，没有比自信更值得倡导的品质了。一个有自信的孩子，和一个自信心不强的孩子，可能在课堂学习弹奏技巧上不分轩轾，但在舞台上的表现会有相当大的差别。

　　中国的家长，老师和评委，说得最多的就是学生这个不好，那个不好，好像把孩子说得缺点越多，他的进步就会越大似的。表扬就意味着孩子会骄傲？这可是过了时的陈旧思想了。欧美的家长每天给予孩子大量的鼓励、表扬、肯定和赞美，虽然中国家长不能全盘接受，但也不妨有所借鉴，起码要比较客观，孩子有进步就要给予肯定。讲个我自己的小经历：我小时候的钢琴老师总是不愿意说我好。每次成功演出之后，我在后台看着他，总希望他能说一句"今天弹得很好"，但永远被一句"今天辛苦了"所替代。大家可以想象我的无数次失望。

同样是10岁的孩子，欧美的孩子总要比中国的孩子自信。他们的手指肯定动得没有咱们中国小孩子快，但他们的笑容要比咱们中国孩子灿烂，他们上台的步伐要比咱们中国孩子稳健。我经常跟我的学生说，谦虚只是在琴房里的美德，但在舞台上却是要不得的缺点。到了台上，就要有"我是最好的"的自信。

我希望我们的家长，能够90%是鼓励，10%说哪里可以做得更好，0%用于批评。初学琴的小朋友昨天记得Mi，今天不记得了，那又怎么样呢？值得批评吗？孩子永远应该觉得自己今天有进步，只是多少而已。

除了弹琴方面的鼓励外，其他生活小事中，我觉得家长在家里也要多点"甜言蜜语"的教育。国外的孩子每天上学前和睡觉前，都要跟爸爸妈妈说"我爱你"，还要亲一下，爸爸妈妈对孩子也是同样。中国家长对孩子爱得不得了，但在语言上和行动上却做得很少。多说几句"我爱你"，功效不可低估！

此外，如果父母在孩子练琴问题上有分歧，需要商议的话，一定不要在孩子面前争论，这是基本原则！父母在孩子的眼里都是有权威性的人物，他在年幼时，是以父母的说法作为看待这个世界的准则的。如果父母之间的分歧被孩子觉察到，可能造成他认知上的困惑。如果争吵的话题与他有关的话，那就会让他更困扰了。

琴童小故事：亚瑟·鲁宾斯坦当小老师

　　亚瑟·鲁宾斯坦是当代最伟大的钢琴大师之一，小时候也是著名的钢琴神童。他学钢琴的经历颇为有趣，鲁宾斯坦并非出身音乐世家，父亲在确认他的音乐天赋后，还一厢情愿地想让他学小提琴，结果他把小提琴直接摔碎。鲁宾斯坦的钢琴之路，缘于母亲为即将出嫁的姐姐们准备的钢琴，小家伙对钢琴一见倾心，而姐姐的钢琴老师对他也是非常地宽容和鼓励，不仅容许他随时旁听课程，而且在姐姐们弹琴出错时，打手心的工作也让鲁宾斯坦来执行，后来，还邀请他代替姐姐与老师四手联弹。最终，家人终于重视他的钢琴天赋，送他去柏林学琴。他8岁时便举办了首个演奏会，家人给他送上的礼物就是一大盒甜蜜的巧克力糖。

❀ 家长自测：是我让孩子不再爱钢琴了吗

你的孩子是否已经从"爱钢琴"转向了"恨钢琴"？请家长通过自测题，看看自己在这个转变中起到了怎样的"作用"吧。

为了孩子练琴这事，经常是她哭我也哭。都已经考过6级了，按理说应该早培养出良好的练琴习惯了，但是，不知道是进入心理逆反期还是怎么样，现在她是坐到琴跟前脾气就大，我说两句就跟我拌嘴，明明小时候是自己要学琴，现在天天说是我逼她，让她的童年过得这么辛苦……我跟她说，小时候我们问过你，你说你自己喜欢钢琴我们才会送你去学。但她一句话就让我无语了，她说，她的确真心喜欢钢琴，但我们这种逼她学琴的方法让她再也不喜欢啦，是我们让她讨厌钢琴的！

听着孩子这不懂事的话，我真想随她去，但觉得都走到今天了不容易，还是应该坚持。苦口婆心地给她讲道理，任何人学钢琴都必须要经过苦练，如果不练，仅仅有一点喜欢，你现在也弹不了这么好哇。她虽然找不出什么话来反驳，但眼神明显是在说，不相信！

你说这为了学琴，父母和孩子都成了冤家了。而且让我觉得更憋屈的是，我压根就不想逼她，谁的孩子谁不心疼，但不逼，孩子能练好琴吗？她管不住自己，我再不管不就全废了吗？说真的，听到孩子说是我们让她讨厌钢琴的时候，我真的很难过。

茅老师，你如何看待孩子讨厌练琴这事？有没有什么办法，能够让孩子自己爱上练琴？我也知道这可能有点强人所难了，但我身边像我这种情况的家长真不少，都希望能找到两全之策。

首先需要肯定的是，一旦孩子已经表现出痛恨钢琴了，那是没有什么办法可以突然扭转的。没有任何教育家有什么妙招，让他立刻就从痛恨变成喜欢。家长更应该做的，是防患于未然，下面的两部分问题，供家长自测：你的孩子是否已经从"爱钢琴"转向了"恨钢琴"？

A部分：他是否在一个正常的愉快的情形下开始学琴？

如果是正常愉快地开始，孩子对钢琴的想象是美好的，就像一张图画，他用自己喜欢的颜色涂下第一笔，不会天然就有特别的憎恨，即使在学习过程中碰到困难和障碍，在家长的鼓励下也都能解决。

1.老师是不是他喜欢的？对于初学孩子来说，老师的性格比专业水准更重要。拥有温柔与开朗特质的老师，就能够让孩子有一个愉快的开始。相反，如果老师的性格令孩子反感、害怕，那很难想象孩子如何能在学习过程中一直保持好情绪。

2. 妈妈是不是又严格又温柔？妈妈要既能够让他感受到爱和理解，又能够坚持原则不姑息不纵容。妈妈是孩子心目中最重要的人，她的理解能够给孩子最有力量的安抚，在初学琴的阶段，妈妈的作用更为重要。

3. 教材怎么样，能让他感兴趣吗？他翻开的第一页钢琴教材是彩色的吗？有卡通图像让他乐于接受吗？对已经学了很久的孩子来说，他现在学习的曲目是他喜欢的吗？孩子的世界是彩色的，刻板的黑白教材很难引起他的兴趣，而兴趣，是启蒙孩子开始一切学习的最佳契机。

4. 妈妈是否能跟着一起练？什么事情，妈妈一起做了，孩子就会觉得这很好玩，很值得模仿，即使辛苦也觉得不孤单，是妈妈也乐于和他一起做的。假如妈妈只是在旁边督促，而从不参与孩子的练习，他对此的感观就会大不相同了。

B部分：他为什么突然不喜欢钢琴了？

孩子的情绪是很透明的，他不会掩饰也很难撒谎，如果一个喜欢钢琴的孩子突然产生憎恨情绪，别在孩子身上找原因，在父母身上找，孩子出问题经常是大人的错。

1. 是否最近老师或家长有打骂他这类较为粗暴的行为？孩子都是喜欢正面鼓励的，打骂也许能赢来暂时的不敢反抗和老实练琴，但不正确的教育行为，会激化孩子的逆反心理，让他从心底对练琴这件事产生抵触。

2. 他是否开始了某段对他来说较为困难的学习？比如说一首曲子上几周课了还无法初步掌握，这的确会让人很挫败，而家长或老师对这种挫败的批评，又会加重他的负面情绪，因为挫败而想到放弃，这是孩子正常的思维模式。如果得不到及时的引导和鼓励，事情就会变坏，恶性循环就会正式开始！

3. 他最近是否为其他事情着迷？孩子的兴趣点是很容易转移的，比如因为新得到了一个iPad，那里面的游戏令他着迷，有空就想去玩，暂时转移了兴趣，导致对钢琴失去热情，或者家里是不是养了个宠物等等，这种情况相对来说是暂时的，只要家长注意沟通引导就能恢复。

琴童小故事：贝多芬的童年故事

贝多芬被很多人视为最伟大的音乐家，不仅仅在于他的艺术成就，他的人生奋斗故事也具有相当的感染力。他有一个非同寻常的童年。"如果不是贝多芬，再好的音乐天才也会被这样的家庭教育毁灭了。"人们如此感叹。

贝多芬从4岁起就被迫每天练琴到深夜，酗酒的父亲不管多晚回家，都一定要看到孩子在练琴才肯放过他，很多个深夜，贝多芬在琴前累得睡着了。即使是如此，父亲还不满意，经常鞭打他，小贝多芬常偷偷躲起来哭泣。8岁举办了公开演奏会后，父亲把他交给了一位老师，老师的琴艺很高，但教育方法同样粗暴，经常在深夜醉酒后把孩子弄醒上钢琴课，这种疯狂的方式让贝多芬十分痛苦。童年的教育给贝多芬造成的影响是，即使他后来成为伟大的音乐家，其性格却被很多同时代的人描述为"粗鲁、固执、脾气暴躁"。

第三节　突破瓶颈，就是胜利

任何成功都不是一蹴而就的，在提升到一定阶段后，瓶颈期往往令许多大人功败垂成。对还没有真正懂得钢琴却被要求弹奏出高水平琴曲的孩子来说，进入瓶颈期时，除了自己的努力，更需要来自家人的支持。

❋ 如何面对"你们逼我学琴"的质问

告诉孩子，不是因为送你去学琴我们变得更快乐，而是因为你弹奏的美妙琴声，让我们的生活更快乐。

儿子虽然才5岁，但偷懒时的聪明劲却让大人吃惊。各种借口都想得出来，而且计划得相当周密。比如在练琴前两个小时，他就开始猛喝水，我们没有在意，小孩子嘛，多喝水是好事。然后当练琴开始后，他就一趟一趟地要求去洗手间，不放他去吧，摸摸小肚子的确鼓鼓的，也不是在说谎，放他去吧，平均20分钟一趟洗手间，曲子毛毛糙糙地就结束了，再慢条斯理地走回来，爬到凳子上，那个情绪，怎么看都不像认真弹琴的。

想起一年前我们送他去学琴时，当时他兴高采烈，回家来就自己坐到琴凳上，老师教的内容练得特别认真。但是，当练琴时间慢慢加到每天45分钟，他发现自己得放弃游戏时间时，就开始想办法逃避了。软磨，撒娇，要提前结束练琴，或者是要求今天不练琴。我们对他的态度一直是平等沟通，给他讲学乐器是为了陶冶情操，他居然提出要换一种乐器，我们问他要换什么，他说"拨浪鼓"！之后，软磨慢慢升级到这种偷懒行为，当我们严厉地批评了他这种行为后，他索性破罐子破摔了，对抗升级成了硬顶，今天，他居然说出了"都是你们逼我学琴"这种话，然后，跳下琴凳转身就走。孩子这么说不是他的错，他还小，想到什么就说什么，但大人不能听过就算。我该怎么回答他这种质问？

我们必须要承认，孩子不喜欢练琴是必然，不是偶然。人的天性是懒惰的，成人如此，更何况孩子。当孩子一旦因为枯燥的练习而磨灭了对钢琴的兴趣，并且对家长要求他练琴的行为出现反抗，做家长的，除了"逼"之外，有没有更温和的方式坚持？

我认为是有的。所有做法的基础，都是让孩子真正自己爱上钢琴。

比如，保证和孩子一起学琴，一起练琴，不要让孩子觉得练琴是他一个人孤独的行为。经常对孩子说："爸爸妈妈和你一起学。"经常感谢他："因为你，我们家里多了很多动人的音乐。"告诉他学钢琴的好处："你会比别的孩子更可爱，更聪明，更有想象力，记忆力也会更好。"提前告诉他一些将来的事情："人生里，音乐是不可缺少的。学琴这条路就是给你打开了这扇大门，以后是以此为业，或以此作为生活的一种享受都可以。"

相信我，孩子听得懂。而且，他总有一天会感谢父母，因为学钢琴，让他拥有了另一种享受世界的方式。

　　说个我亲历的小故事。一对年轻的父母告诉我，谈恋爱的时候，他们也去听过音乐会，气氛倒是挺浪漫，但听不懂，基本是听到打瞌睡。后来孩子出生，他们送孩子去学钢琴，陪着学了一年多琴后，他们再带孩子去听音乐会，咦，听得津津有味。虽然不能够具体说出哪些细节处理得特别好或是不好，但那个旋律、情感他们完全能够听懂了，回家后仍觉得余韵未尽。如果你也有过这样的经历，一定要跟孩子分享："你让爸爸妈妈更快乐，更自豪。"

　　在具体的做法上，我觉得也有一些小技巧可以尝试。如果每天要练两个小时，那不管孩子多懂事，多能够坚持，我建议都要分成两个半场，让孩子有个放松的间歇，喝杯水，吃个小点心，聊聊天，说个小笑话，或者是做点运动，让他的身心都有个调整。这样，孩子会觉得时间比较容易过，两小时如一直练下去，再有恒心的孩子也很难坚持到底。如果有好几本曲子需要练习，家长最好能够规定一个曲子练多长时间，而不是练几遍。以几遍来计数，孩子容易应付了事，会越弹越快，只想完成规定遍数就可以，以时间计算，他就不会那么赶，而是更可能在规定的时间内认真地领会曲子的内涵。

此外，要善于通过乐曲调动孩子的积极性，一成不变谁都会厌烦的。在每天的练习编排上，家长尽量想办法带给孩子一些新鲜感，比如曲子的顺序要调整着来，不要总是固定哪个曲子在前哪个曲子在后，把他最喜欢和最不喜欢的打乱次序来弹。我的实际经验是，孩子总是会把最不喜欢的放在最后，把最喜欢弹的放在最前面。这样，孩子在注意力高度集中的时候，永远是练习他最喜欢的这一首。结果他喜欢的这首越弹越好，他不喜欢的这首越弹越不好，形成了恶性循环，所以，我建议每天选不一样的曲子作为第一首，让不同的曲子都有机会吸引孩子的注意力。

琴童小词典：钢琴家谈练习

"学习技术必须耐心、刻苦，并持之以恒；没有技术，艺术就不过硬，就没有风格，没有特性。练习曲、音阶、琶音、和弦等都是非常货真价实的，不能骗人。"

——伊格纳茨·简·帕德雷夫斯基（波兰钢琴家）

"钢琴的技能训练就是尽可能地使手指弹出最高的速度、最大的力度，并使手具有能力弹奏各种因指法或各调在键盘上的特殊排列而极为困难的经过句。"

——戈多夫斯基·利奥波德（俄裔美国钢琴家）

"只练那些旋律动听、自己非常喜欢的作品是很有害的，不能认为只把技术上困难的地方练好就是达到目的了。即使是最简单的乐曲，要做得完美也是困难的，也要多加练习。"

——威廉·巴克豪斯（德国钢琴家）

※ 真的进入瓶颈期了吗

一首难学的曲子，或者是孩子一时的松懈，都可以造成近似瓶颈期的现象，这种情况不要紧张。即使真的进入瓶颈期，停练一段时间琴也不是不可以，但不能停下对他的音乐教育。

我的孩子今年10岁，读小学5年级，明年就是小升初了，说真的，学业压力蛮重的，每天老师布置的作业都是长长一列。我问过他的同学，就算不练琴，回家也得两三个小时才能全做完。但在这样的情形下，我们还是坚持钢琴学习不要停，因为钢琴老师说他很有希望的，不管将来走不走专业路，至少把8级考完，不管是实际的好处还是对孩子的一个提升，都非常有必要。我们觉得老师说的非常有道理，所以，虽然心疼孩子又要练琴又要写功课，但还是鼓励他坚持。孩子很听话，每天很自觉，回家一刻也不休息，立刻就写作业，写完作业匆匆吃饭，然后就是练琴时间。其他类似情况的家长听说他的表现，都纷纷夸奖，还要请他去给自己的孩子传授经验。

但最近我发现，虽然他是在坚持练琴了，但提高得非常慢，练琴的时候磨洋工现象很严重，有时候也不是他故意磨，的确是精力跟不上了，到了九点多，小孩子哈欠连天的，最后几首曲子明显都是应付了事，至于新曲子就掌握得更慢了，以前一首新曲子练两三周就很有样子，最近两个多月还练不出来。老师说他可能不光是累，也有可能是进入倦怠期了，类似于一个瓶颈阶段，在孩子的成长有明显的增幅后，进步就会慢下来，需要有一个较大的突破才行。这个阶段对孩子很重要，能闯过去就能成功，但如果过不去，也就待在现在的水准不会有太大提高了，也许就是勉强考过8级而已。我们做家长的，当然不希望孩子就这么被打败，在这个阶段，我们做什么，怎么做，才能帮到他？

首先，要判断孩子是否真的进入瓶颈期，别急着因为一些表现就下判断。有时候，孩子只是一时的松懈，或者是生活中有些别的事情分散了他的注意力，或者是因为其他的事情给他的压力比较大。俗话说一心不能二用，何况是年纪还小的他呢。在前两种情况下，不用太紧张，慢慢地他会自己调整回来的。第三种情况，只要其他事情的压力没有真的大到他无法承受，在习惯了那个节奏后，他也能找准步调。

如果经过仔细观察和认真的比较，发现他真的进入了瓶颈期，也不要太紧张，这至少说明他已经达到在他能力所及范围内的一个比较高的水准了，这是挑战也是机会。对家长来说，此时逼还是要逼的，不能由着他磨洋工，只要练习还能够让他有一点进步，就不能放松。其实大部分孩子都是这样的态度：能偷懒就偷懒，但家长如果非常严格地要求练，也就好好练了。非常喜欢自觉练习和非常痛恨家长怎么说也不肯好好练的都很少。当然，也有的家长会放一下，因为孩子毕竟还小，觉得没必要要求太严格，这也未尝不可，但放一下之后一定要记得往回收。

如果孩子的逆反情绪比较严重，有些家长问能不能停一段时间，让孩子有个调整的机会，我也觉得可以。但这是一定要到了山穷水尽的地步，所有其他方法都不管用了，而且能够确认孩子的态度是非常逆反的建议才可以这样做。在这个阶段，可以停一下练琴，但千万不要停下对孩子音乐上的教育。比如带孩子去听音乐会、听CD，哪怕是吃饭、开车的时候，放CD让他感受一下音乐也好。绝大多数情况下，停一段时间，孩子的情绪会缓和回来的，毕竟他练了这么多年钢琴，自己已经培养出深厚的感情和自觉性。很多小孩子都是这样，让他坚持练，他说不喜欢钢琴，但家长说我们停下来，不学了，他又坚持要去学。因为能够在钢琴上弹奏乐曲，获得赞扬和掌声，这让他在不学琴的孩子那里是很自豪的。

在长期的讲学中，我还经常发现另外一个问题，就是让孩子在一个难度比较大的曲子上停留的时间太长。这是我很反对的，这往往是孩子厌恶弹琴的开始，要知道，孩子在一个曲子上暴露的缺点，未必必须只能通过这一首曲子来得到改正，可以换另一首有同样功用的曲子试试，边往下弹边纠正错误。我认为，孩子在一首曲子上，绝对不该停留多过两到三个月，如果超过，这时候，家长要去和老师沟通，暂时停掉换别的曲目。

琴童小故事："世界第一难弹"的钢琴曲

在学琴的过程中有一些公认的难度高的练习曲，孩子们总是会对这些曲子心生畏惧。而在古典音乐的世界里，也有一些钢琴家都会觉得难弹的曲子，其中最著名的非俄国音乐家拉赫曼尼诺夫的作品《第三钢琴协奏曲》莫属。拉赫曼尼诺夫本人首演这首作品时，将它称为"大象之作"，更有趣的形容是，有人说演奏一次《第三钢琴协奏曲》在体力上等于铲十吨煤，还曾经有钢琴家演奏完这首作品崩溃在舞台上，这首曲子被戏称为"世界第一难弹"钢琴曲。而在电影《钢琴师》上映后，这首曲子激起了很多钢琴家挑战的欲望，反而出现了不少演绎版本，可见，难，并不是那么绝对的一件事情，只要你真正吃透这首曲子，它也许会变得简单起来。

❀ 旅行期间，以玩为主，钢琴练习，尽力而为

带孩子外出之前，先请老师布置好功课，可以带上琴谱，可以在目的地找钢琴培训中心临时练琴。当然，别忘了旅行的真正目的是什么——让孩子放松开心。

我老公的父母家人都在美国，每年我们新年或暑期都会固定抽出一段时间去探望他们。但自打孩子开始学钢琴后，逢到假期我就头疼，好不容易培养出每天练琴的习惯，出国野一段时间，心就全散了，回来还得重新恢复。毕竟不能把钢琴背着出国吧，而到了美国才发现，那边的孩子学钢琴的绝对没有中

国这么普遍，他们更多的反而是选择一些运动，比如网球、棒球什么的，想找个钢琴培训学校吧，倒是有，但是得驱车三小时，练趟琴来回一天就没有了。而且，孩子是来看爷爷奶奶的，总不能整天出去练琴吧，那又何必搭长途班机来美国呢？最后只能不练，结果，一个月过去，回家再练，手生了不说，习惯完全得从头再来，孩子要适应很长时间才能恢复到原来的状态。因为出去玩耽误了课程，和其他小朋友比起来她有些落后了，就会非常着急，一急练琴的状态就更躁了，一首曲子着急忙慌地弹几遍就算过，结果掌握得很不好，适得其反。为此，我和老公都在商量，要不然，明年不去探亲了……这好像从情理上也很难讲，就为了孩子学琴，亲情都抛开？我想别的小朋友家里肯定也有像我这种情形的，总不能为了练琴，把其他所有事情都取消吧，比如说夏令营、全家去度假或者是有别的什么事情要外出，他们都是怎么解决的呢？

　　这件事情我很有切身体会。我小时候，无论是暑假跟着爸爸妈妈去北京看爷爷，还是外出拍电影，都不可能带着钢琴走。而且，在那个时候，钢琴培训学校完全没有现在这么普遍，交通也不够便利，去借琴练不太现实。妈妈的解决办法是：给我做了一个纸键盘，携带方便。虽然触感和真键盘不同，但至少可以保证曲不离口，拳不离手，每天抽空练上一段时间，虽然没有琴声传出，倒也培养了我的想象力。

现如今，几乎所有城市都有钢琴培训中心或者钢琴城，去临时租借钢琴练习完全没问题。如果只是外出一个周末或短短的几天，我觉得让孩子放个假一点关系也没有。如果外出很长时间，那么家长要事先做些准备工作。首先，让老师多布置一点功课。比如外出四周，第一周做什么，第二周做什么，功课能够让孩子保证系统的练习。功课不宜太多，在外出时如果能保证孩子每周练三到四次琴，已经很难得了！其次，一定要带上琴谱。其实看琴谱是个非常好的办法，在飞机上或是车里，没别的事情做，正好看看琴谱，专注一下指法、临时升降号等细节。

如果真是难得的全家度假，还是以玩为主。现在的孩子都是小小宅男宅女，偶然出去享受一下不同的世界是完全有必要的！当然旅游最好不要安排在比赛或音乐会之前，一出去，孩子的心就散了。做家长的要算好时间，演出完，比完赛，带孩子放松一下。

孩子终究是孩子，孩子都是喜欢玩的，该玩的时候，就让他们彻彻底底痛痛快快地玩。当然，别忘了，该练琴的时候，就应该一丝不苟，认真谨慎。

第4章　黑白键上的童年

童年是人生中最清澈的时光，孩子的欢愉应该完全不掺杂质。然而，现状是，因为各种各样的现实考量，孩子们在学校与各类才艺培训机构之间往返，在拥有许多令成人都惊叹的才能的同时，他们也放弃了许多与自然相处的机会，与小伙伴游戏的快乐。而琴童，无疑是他们之中最有代表性的群体之一。

作为家长，你是否思考过，如何在黑白琴键的陪伴下，让孩子的童年更加丰富多彩？

第一节　再一次认识钢琴

当孩子能够熟悉地演奏一首简短的名曲时，他对钢琴的认识已经不是初识的陌生和好奇了。而同样，家长也已和孩子一起走了一段学琴之路，对钢琴的认识也应该更上一层楼了。

✳ 流行乐也可以从钢琴开始

流行音乐其实与钢琴不冲突！如果你从小学的乐器是钢琴，那么，以后你若想改为指挥、作曲、流行歌手、艺术家经纪人……钢琴会永远助你一臂之力！

我很喜欢王力宏，他不是有个称号叫"优质音乐偶像"吗？伯克利毕业的他，据说几乎什么乐器都会玩，钢琴、小提琴、吉他、爵士鼓、二胡、琵琶等等，我是外行，只会看热闹不懂看门道，我看他弹钢琴也觉得水准相当高了。

我常跟老公说悄悄话，儿子现在学钢琴，我也不指望他学成什么古典钢琴家，看那些钢琴家天赋简直是惊人，什么3岁就能背奏，4岁就能作曲，8岁开独奏会，我对儿子虽然有期望，但也不至于狂妄到那样的地步。我的想法是，他能学成王力宏那样我就超满足了。不管是将来弹给女朋友听，还是弹给我们听，都够用了。本来是有趣的事情，却遭遇老公一顿痛批，他说，流行乐和古典乐是两回事，学钢琴就好好走正路，不要想那些没用的，要是想学成流行歌手，不如直接送去上艺校得了。真是……最后他居然还提了要求，严禁以后我再放那些流行曲给孩子听！我当然不同意他的观点，流行乐怎么了，流行乐未见得就低人一等啊。而且，你也要看孩子接受程度嘛，带他去看古典音乐会，看名家演奏，他也就是一般的兴奋，但是和同学去看了场周杰伦的演唱会，回来给我们说了两个星期，周杰伦会弹钢琴。我应该怎么反驳老公，才能让他不要那么偏激？

　　让孩子做钢琴家当然是绝大多数父母的理想和愿望，但如果孩子以后恰恰想往流行乐的道路上走，学钢琴也绝不是多余。

　　在美国，即使是综合性大学，钢琴也是每个专业都必须要开设的基础课。而在国内的音乐类院校里，钢琴也是一定要有的副科。不管学生的专业是民乐、弦乐还是声乐，都一定要学钢琴。我就听说大歌星王力宏从小学小提琴，后来进入威廉姆斯学院（这是美国一所有名的文理学院）开始学钢琴，这正是我前面所提到的非钢琴专业学生的常规途径——当然不是人人都会像王力宏这么"走红"……

国内还有位音乐人叫丁薇，她小时候学的是二胡，进了音乐学院附中以后学作曲，但她一直都很重视钢琴。民乐的曲库，相较钢琴是比较简单、好学，有天赋的、十四五岁的孩子，二胡的水平有可能已经到了"好得不能再好"的境界了！老师能传授的技巧也都教给他了，这时候，改学钢琴就成为不少人的选择，特别是想成为全方位音乐人的学生，通常都会把钢琴学得很好。

总结一下，不要因为钢琴在古典音乐里是"乐器之王"，就把它看得太孤立，它仍然是种乐器，以后要做周杰伦也好，王力宏也好，都可以从学钢琴开始。如果孩子从小学的乐器是钢琴，那么，即使孩子长大后不弹钢琴了，也可以做指挥、作曲、搞流行音乐、做音乐营销……其发展道路远比其他孩子更广阔。

另一点，也有很多家长问到了关于"能不能让孩子听流行歌"或是"流行乐会不会破坏他对钢琴的感觉"这类问题。我的答案是，除了太吵闹的摇滚，其他的听一听并无大碍。我小时候就总被老师骂，说我听邓丽君太多，听迈克尔·杰克逊太痴迷，听惠特尼·休斯顿太投入，但还好我长大了并没有变"坏"！今天的小孩子，在这种时代氛围里，你想完全隔绝他和流行音乐是不可能的，到了那个年纪他就会喜欢听，他还是要做个新潮的"酷"小孩。要听，家长就让他听，古典音乐和流行乐都听，没问题。

琴童小故事：贾斯汀·比伯弹钢琴

最近我常听到一些小朋友向我介绍贾斯汀·比伯（Justin Bieber），这位加拿大少年歌手，成名的经历绝对是网络时代的奇迹。据说他3岁时自己玩打鼓，7岁学习弹钢琴和弹吉他，因为在YouTube上传自己的演出视频而被唱片公司发掘……被冠以音乐神童的称号。贾斯汀·比伯在演唱会上弹钢琴的视频，点击率超高，坦白地说，以这样的学习经历，他的钢琴、鼓和吉他也许都不能和专业院校的学生相比，但对于流行乐手来说，重要的是乐迷们觉得棒，这就够了。

❂ 不是音乐世家，也能培养出优秀琴童吗

家里有人搞音乐，对孩子的成长有帮助，但并非不可或缺。从事其他职业的父母，也完全有可能培养出优秀的琴童。

我看到很多钢琴家都是音乐世家出身，或者是生长在一个特别有音乐氛围的环境里，像厦门鼓浪屿，就走出不少钢琴家，像茅老师你的父母就是搞音乐的，像郎朗，虽然他的父亲并非从事音乐工作，但祖父是音乐教师，父亲也曾当过文艺兵，所以在很小的时候就对他进行启蒙教育。我们可没有这些便利条件啊，我们夫妻俩、我们的父母，全都和音乐不沾边，家里在孩子学钢琴之前，没有一件乐器，没有一张古典乐CD，都是孩子学琴后慢慢添置的。

最近老师找我聊，说孩子先天条件不错，但是觉得我们在家庭教育上有些欠缺，希望我们能多配合他的工作，带孩子去听些音乐会，多创造一些演奏机会，在家里多聊聊跟音乐有关的事情什么的，这对我们来说挺有难度的，听音乐会没问题，我们去买票，但聊聊和音乐有关的事情……要去买几本书来恶补下吗？

我特别想和与我有差不多感受的家长聊聊，像我们这样的家庭，要把孩子培养出来，可能性大吗？这些欠缺的方面，其他家长是怎么做的？如果还有可

能补足的话，家长需要补哪些课？

没错，学习钢琴的孩子中，有很大一部分人的父母都是搞音乐的。孩子的乐感好，和家庭环境的确有关。记得我小时候，家里的来客都是音乐学院的教授，叔叔阿姨们谈话的内容都和音乐有关，家里平时听到的音乐也都是古典音乐。小时候爸爸和我玩游戏，都和音乐有关。他敲玻璃杯，就让我去琴上找相同音准的音符。这样的环境，当然对孩子成长有很大的帮助，但并不绝对。

在国内，我每次去某个城市，一定会开公开课，无论是北京、上海，还是浙江富阳这样规模较小的城市，我发现，在国内，从一线、二线到三线城市，孩子们和家长们都有高涨的学琴热情，而且，已经显示出很好的才华，并且取得不错成绩的孩子，来自非音乐家庭的非常多。父母有爱心、有责任心，能为孩子寻找到不错的启蒙老师，能够既严格又温和地督促他练琴，这才是最不能缺少的基础。

我走遍了全中国，发现了一个影响孩子成长的现实问题。很多城市的孩子都很有才华，但每次比赛，获奖的基本都是北京、上海这些一线城市的孩子。为什么？我分析主要的原因，是北京、上海的音乐教育水准高，已经有专业的钢琴教育学校、师资、氛围。但在北京、上海以外的城市，好老师的分布就不是很平均，越往二、三线城市，越难找到好老师。但在美国有五十个州，每个州都有不错的老师，而在国内，暂时还处于这种钢琴师资力量不均匀状态，以至于在钢琴师资不发达的地区，一个和北京孩子具有相同天赋的琴童，成绩会远远落后。这也催生出一个特别的现象——送孩子去大城市学琴。我在上海讲课，碰到的家长有来自杭州的，也有来自宁波、绍兴这些周边城市的，家长和孩子都很辛苦。这个问题的解决，有赖于整个社会经济水准的均衡发展，也需要我们更加努力。

❋ 怎么判断孩子的音乐潜质

在学琴一段时间后，家长对孩子的音乐才华应该有更多的了解了。在前几章里，主要是如何判断孩子音乐潜质的话题，在这个阶段，这个标准有了更多的发展。

孩子练琴要有进步。不论是练半个小时还是6个小时，每天都应该有显著的进步。这说明他对钢琴的学习是非常有效率的。

视谱和背谱都不应该是太困难的事情。学新曲子，到背旧曲子，都应当是自然和流畅的。

充分具备表现力和表现的欲望。如果让孩子走艺术家道路，第一重要的就是性格：一个外向的、有表现力的、愿意展示自己的、充满自信的和热爱舞台的性格是必不可少的。

钢琴小故事：农民家的孩子舒伯特

作曲之王舒伯特在钢琴史上的地位非常重要，但你知道吗，他是一位地道的农民之子。出生在维也纳郊外一个小村庄的舒伯特，家庭生活比较贫困，在这种情况下长大的舒伯特，虽然父亲也有不错的基本音乐素养，可以教他拉小提琴，但舒伯特所受的专业音乐教育是非常有限的，直到11岁有机会进入皇家学院攻读音乐，并且参加了维也纳宫廷礼拜堂合唱团，其间在意大利作曲家安东尼奥·萨列里门下学习作曲课程，渐渐崭露头角，成为音乐史上屈指可数的大家。舒伯特的经历，是不是能够令非音乐专业的父母们信心倍增呢？

第二节　学业VS琴业

四五岁学琴，虽然孩子小，但可以全身心投入。而开始上学的琴童，就会碰到现实的问题：学业和琴业如何平衡？一边是老师布置的必须要完成的作业，一边是每天雷打不动的两小时练琴时间，孩子真有如此精力全部做好吗？

✳ 写作业和练琴不打架

找出孩子生活里浪费的时间，有效地利用起来，也许，你就不用再为写作业和练琴时间打架这事烦恼了。

现在的小学生，课本加辅导材料，书包重得我这个大人都背不动，作业负担更是重到不行。每次接女儿放学，在路上，听着她愁眉苦脸地数今天各科老师又布置了哪些作业，周末更是除了要孩子自己完成的那些简单作业外，还有要求家长一起参与的活动，说是这样能提高孩子的综合素质。我也觉得这些作业本身没问题，但是数量对于孩子来说，太多了！

我虽然嘴上劝女儿要好好做功课，但背地里很心疼。有留学经历的我，更赞同国外的教育理念，我在法国读了五年书，接触到的当地人的生活，孩子的任务就是玩，在游戏中学习和进行素质培养。但在国内，大环境如此，我没有办法给孩子创造法国那样的环境，还是得让她按传统的方式，在读幼儿园的时候就学语文算术，去上小学，去应付作业、考试。当然，还有学钢琴……按照法国人的思维，钢琴是用于表达爱的，对父母之爱，对情人之爱，对伴侣之爱，但我陪听到现在，没有一个老师提到这个爱字，只是在强调指法、技巧什么的。女儿倒是自己很爱钢琴，但现在，随着学业的加重，钢琴在她嘴中也慢慢变得有点讨厌了，因为每天要固定练一个小时琴，作业再加练琴，她是从放学到睡觉都闲不下来，最爱的卡通不能看，想去森林公园玩也没时间，别说孩子，就是大人，让我天天过这样的日子我也有点受不了。我想问下其他琴童的妈妈，在我们现在这种教育环境下，你们如何协调孩子的作业和练琴？

中国的小学生很辛苦，这点我感觉得到。不光是平时，连周末他们也很忙。我在《纽约时报》看到这样的报道：在中国的大城市里，周六，走在街上的孩子如果没有背着小提琴，那他就是在上钢琴课的路上。

不过，现实既然存在，我们总要想办法去适应，去找出合理的解决之道。

首先，说如何安排练琴时间。小孩子是很忙，但浪费掉的时间也不少。每天找出30~40分钟应该是可行的。而在周末，即使要去上才艺课，时间也应该比平时宽松，周末就可以多花一点时间来练琴。这样平均下来，也就相当于每天练1小时了。在我接触过的琴童中，不乏五、六年级的，每天仍然能够保证45分钟到1小时的练琴时间，同时也不耽搁学业。我想，请爸爸妈妈一齐动手，检查孩子的日程，看看有哪些事项是可以在更短时间内完成，或者哪些是可以稍作调整，让出一部分时间给钢琴的。即使找出来的这些时间，没有家长预期那么长也没关系，周一到周五，每天可以只练半个小时，只要这半个小时真是有效的，那周末的时候再多补一些时间，就没问题。

我之所以说孩子浪费掉的时间也不少，并非随意猜测。在全国巡教的过程中，我也听到不少家长反映，即使没学琴的孩子，晚上单写作业也能磨蹭到十点多，他的注意力不够集中，做事情总是拖拉，而且容易分心，效率高不起来的。所以，并不是练琴和写作业当真占用了孩子所有的时间，而是孩子在做每件事情的效率不够高，导致时间不够用。如果你不能确信这些作业负担是否过于沉重，我觉得可以跟孩子的同学做一个小调查，或是跟他同学的爸妈联系下，特别是学得比较轻松的那些同学，问问他每天需要花多少时间写作业。如果你的孩子写作业时间远远超过人家，那就意味着可能有一部分时间是被浪费的，要查清楚哪里有漏洞，帮助孩子培养出高效做事的习惯。不用找成绩最好的那一批，成绩不错的那些就可以，问问他们每天晚上写作业会到几点。

也许大家还不了解，弹钢琴是能提高写作业的效率的。学音乐对孩子的智力开发有很大的好处，他的记忆力、理解能力都会不错，而且，几年来每天定时练琴，他的自律性会很好，也许别的小朋友要花三个小时写的作业（中间穿插着喝水、上厕所、吃点心、发呆等内容），他一个小时就能保质保量地完成。

※ 什么时候该换钢琴老师了

从启蒙、成长到计划走专业道路，每个阶段，家长都应该为孩子寻找最合适的老师，这中间有一定的规律可循。

我读一些国内钢琴家的自传故事，发现有个共同点，在他们成长的各个阶段，都有不错的老师，而且每个老师都会为他开启一扇通往音乐新世界的门。启蒙老师给他打下扎实的基础，并发现他的天赋；然后，一位在区域内很有影响力的老师接手，帮助他在音乐界崭露头角；最后，他得投名师，奠定成为一代名家的基础……

我也希望自己的孩子有这么好的机会，但这事看书上写起来是很简单，在现实中如何创造这样的机会我不知道。我儿子学琴5年，现在已经考完6级了，现在的老师还是他的启蒙老师。我也跟学校商量过换老师，但学校介绍，这个老师的学生，有考完8级的，他教到孩子小学毕业都没问题，我虽然没有明确反对，但总觉得还是该换，因为孩子最近一年来，在这个老师手下，进步得不明显。每周倒是还教新的东西，但无非就是曲目的更新，而在其他方面我觉得老师给的东西越来越少了。上周，在一次钢琴咨询活动中碰到了小时候和我儿子同班的一个女孩，她去年搬家，换了学校也换了老师，听说她现在成绩有了非常明显的进步，在学校比赛中屡屡取得好成绩，我觉得那个女孩子比我儿子进步更大。我想问问茅老师，我的判断准确吗？是否应该换钢琴老师？下一位老师的挑选，有什么原则可以参照呢？

对琴童来说，老师可以分成三个阶段来寻找。

第一个阶段，找一个好的启蒙老师，这是最难的。首先，性格要好，启蒙老师一定要有耐心，有爱心，也许未必要弹得多好或是学历多高，但老师的笑容美不美、音调有没有变化、上课的时候把握学生动态的能力够不够——都直接影响到孩子一生对音乐的态度和看法。

第二个阶段，是大约学了两三年后，在孩子七八岁，开始正式弹古典曲目的时候，这是一个换老师的时机。每个老师特点不一样，教十二三岁大孩子有经验的，很有可能教5岁的孩子就束手无策。同样，好的启蒙老师可能永远都只应该是"启蒙"老师……我建议，做家长的想换老师，不要觉得不好意思，也不要因为学校的解释就放弃自己的想法，这是必然的需要。不会有一个老师，能自如地从4岁教到14岁。

同样在这个阶段，选老师的原则有了变化。这时候微笑、声调就不是最重要的了，老师是否有示范能力、对这个阶段的曲目是否熟知深知、对孩子的音乐之路要如何一步步走是否清楚，就成了家长评判老师的关键。需要强调的是，国内很多琴童是在这个阶段被引入专业道路的，老师就是其中的关键人物。

　　第三阶段，是孩子非常正式地计划走专业道路了，准备考音乐学院或是参加国际性的钢琴比赛了。在这一阶段更换老师的事项中，家长要主动、积极。有可能存在因为孩子成绩优异，即使老师也已经胜任不了，但还不放孩子走的情形，因为一个"明星"学生对老师也是一种荣耀，一个广告。这个时候，老师的选择，家长往往已经很难在专业上进行衡量了，我建议可以从侧面了解。这个老师以前教过的学生成绩如何？教过的学生性格如何？是否凡事替学生考虑？学生是否喜欢他、尊敬他？这些学生的幸福指数高不高？等等。

　　最后强调一下，家长千万别不好意思换老师，在美国这是很平常的事情，学生和老师是公平的互相选择！在孩子每个阶段，需要的老师是不一样的。如果老师不能认可这一点，甚至还以学生"忘恩负义"、"没有良心"等理由大做文章，那就说明这位老师没有真正的师德！家长们请记住：世界上最无私地关心和重视你孩子前途的，永远是你，不是老师！

琴童小故事：约瑟夫·霍夫曼和安东·鲁宾斯坦的师徒情

两位伟大的音乐家，一段传承的师徒情。1892年，鲁宾斯坦接纳霍夫曼作为他唯一的私人学生，在欧洲大饭店中，前后授课40余次。鲁宾斯坦不在课堂上给学生示范，但那段时间他在德国及奥地利境内的巡演音乐会却令学生受益匪浅。作为出师仪式，1894年春天，在汉堡交响乐大厅，鲁宾斯坦亲自指挥霍夫曼演奏，音乐会结束后，老师告诉学生，以后，我没什么可再教给你的了。天才的学生始终感念伟大的老师，在老师逝世后，霍夫曼在自己的著作及访谈中，不止一次深情追忆这位导师和他在一起的点点滴滴。

※ 我们聊聊音乐会吧

不要强求孩子看完音乐会写观后感，充分地给他说话的时间，让他表达自己对音乐会的感受才是最轻松有效的方式。

我们对孩子的教育是潜移默化的，不仅仅是送他去上钢琴课让老师教他弹琴，更重要的是从生活各方面带他进入古典音乐的世界。孩子小的时候，我们经常给他放那些大师的经典录音专辑，自打孩子上小学后，我们就经常带他去看各种音乐会和演出。在北京生活，最大的便利就是，可以看到各类高水准的音乐会。孩子相当享受这些，我还记得那次看音乐剧《小王子》，他虽然没太看懂，但是仍然眉飞色舞地和我们讨论了一路，直到晚上睡觉前还在说。而那些更经典些的，虽然他说不出什么道道来，但从他聚精会神的倾听和下一次听说要去音乐会时欢呼雀跃的表现，就知道他喜欢这些。

不过，自从他奶奶从上海来我们家长住一段时间后，孩子的心态有了非常戏剧性的变化，他再也不想去听音乐会了，问他原因，他说不喜欢了。怎么会突然不喜欢呢？他还在坚持练琴，而且每天回自己房间也会放上一张钢琴CD静静倾听，后来，偶然的机会，我终于知道了原因，奶奶找到我，说最近你怎么不带孩子去看音乐会了，我看前两次他交给我的观后感，写得还挺多的。什么观后感？我问了奶奶才知道，孩子每次看完演出回来后，她都要求孩子写观后感，说说自己领悟到了什么，而且写得短了她还会批评孩子。我因为最近工作忙，又觉得奶奶是退休教师跟孩子沟通应该没问题，所以居然不清楚这一切。看来，孩子不喜欢听音乐会应该是这个原因了……细想奶奶也没大错，我们小时候看完书，不是都要写读后感吗？在专业人士看来，

这个建议可行吗？

　　让孩子写音乐会观后感……且不说带着任务去看演出，孩子心情会受到怎样的影响，就算他写了，大人会认真看吗？我想多半是扫一眼，觉得孩子的确认真写了，字数够多，就扔在一边了吧？回忆你小时候写的那些读后感，能够真正帮你更加理解一本书吗？也是当做不得已要完成的任务罢了。本来，他对音乐是抱着纯享受的心态前去的，非常放松，演出的精彩之处能够一一感受得到。但如果总想着"听完这个音乐会要写观后感"，他就可能无心聆听而只是寻找写作的素材，要是家长再有一些具体的要求，比如字数要多少，要写出怎样的深度，那就完全把孩子去看音乐会的愉快度降到零了。

　　不过，话说回来，要是看完音乐会就抛诸脑后，什么也不讨论，这样也并非好的处理办法。虽然孩子在当时享受到了，但过几天可能也就淡忘了。要令他加深印象，最合适的方式，就是聊，平等地和他聊。在看音乐会的前几天，就给孩子一些相关的资料，或者启发他对演奏家的兴趣，去了解这个人、音乐会作品的背景，在送他上学或是讲睡前故事的时候，和他聊聊即将到来的音乐会。听完音乐会还是聊，回来的路上聊感受，第二天吃饭的时候仍然有意挑起话题，让孩子更多地回忆音乐会的细节，好在哪里，不好在哪里。家长最主要的任务是担当一位发问者，让孩子充当谈话的主角。即使是孩子的评价比较幼稚，也千万不要说出"你懂什么"这类的语言，会打击孩子的积极性。通过这些谈话，做家长的能够知道孩子在音乐里的感觉，是不是成熟，是不是有自己的想法，是不是能够发现其他人注意不到的细节等。

聊完了，家长对孩子的观后感也不要过分当真，比如他说："交响乐好无聊，我下次再也不要听了。"没关系，下次还要带他去听。今天不喜欢贝多芬，说不定十年后他会疯狂地喜欢。孩子对音乐的情感，非常有赖于家长这些有意识的培养。

琴童小词典：钢琴音乐会基本礼仪

1. 尽量正装出席，最起码要保持着装整齐，拖鞋、背心、牛仔裤都属于禁忌衣着。

2. 准时入场，如果迟到，要等到演奏休息间隙时再进场。

3. 演出开始前，关闭手机（调成振动并非最佳方式）。

4. 演出过程中，不吃东西，不喝水，不说话，不要随意走动。

5. 曲目结束再鼓掌，如果不清楚什么时候结束，以演奏者起身鞠躬为准。

第三节　表演、比赛开始了

当孩子的琴声，从招致邻居的怨言，变成每周末都有人敲门来要求欣赏他的演奏时，做家长的就该知道，也许，该给孩子多创造一些演出和比赛的机会了。从自己关起门来弹，到走出去，这一步对于孩子的音乐未来可是非常关键的。

※ 表演能力是可以培养的吗

大部分孩子初次登台都会紧张，只要家长态度得当，鼓励、帮助他，慢慢地，他在台上会越来越轻松。

俗话说，江山易改，本性难移，这点我在送孩子学琴的过程中真是深有体会。我女儿可能是小时候在爷爷奶奶身边长大，老人看得太严实的原因，非常胆小害羞，见到人不敢说话，让她表演个小节目比登天还难。在和朋友讨论到这个问题时，朋友建议我送她去学学乐器，最好是钢琴这种适宜独奏的，培养她上台表演，借此增加自信心，我也觉得不错，于是就送她去学琴了。她学得倒是挺不错，老师说悟性挺好，学了两年多，已经会弹不少曲目，也考过了4级，老师说，要是学校里的小演出，上台是完全没问题的。我们想着，还是先在朋友圈里试试看吧，结果让我们很失望，明明自己在家里弹得非常好，一旦来了客人，让她为大家表演几首，要么就是涨红了脸怎么也不肯弹，要不就是弹着弹着抛锚了。要是批评几句，立刻就当众掉眼泪，害得大家都很尴尬。要是这个样子，怎么在学校登台演出啊？我看她的不自信是一点也没改善的。

我们也采取了很多办法来引导她，跟她聊天，告诉她你弹得很好，只要发挥自己平时的水准，大家都会给你鼓掌的。也不停地给她创造机会，比如去小区的会所弹弹琴，也带她去看别的小朋友的演出，我看得出，女儿也很勇敢地想要改变自己，但是往往在最后一关又顶不住，我们很头疼，这样的性格，孩子是否会永远失去上台表演的机会呢？而我们想通过钢琴弹奏来增强她自信心的想法，是不是也永远实现不了呢？

看得出，你已经很努力地帮助孩子改善问题，做得好，家长的鼓励永远是孩子的最佳勇气来源，也许孩子在表面上还没有特别明显的转变，但心里，也许已经在悄悄地酝酿勇气呢。

我还可以提供一些行之有效的具体办法给你参考。比如，把孩子弹的钢琴曲录成简易的CD，送给朋友们欣赏，然后请朋友们给孩子写信，肯定、喜欢这些作品，这些文字会有很好的效果。送孩子去参加音乐会，上台演奏，全家都要去当拉拉队，爷爷奶奶最好也能来捧场。不管孩子弹得好不好，都一定要热情地肯定，都夸她弹得好。千万不要说"你怎么今天错成这样"等类似的否定句。如果孩子为自己的错误伤心，要告诉她，任何人上台都可能出错，今天敢迈上台就很了不起了。

家长有几个原则务必牢记。第一，表扬，表扬，再表扬！对孩子上台的勇敢、琴艺上的进步要给予绝对的肯定！要告诉孩子，当你们是她的观众时，你们是多么为她自豪，是多么幸福！第二，不要把自己的孩子跟别人比，不能说

"别人都比你弹得好"，也不要说"你比其他人都弹得好"——这都对孩子的发展无益。最中肯的评价是，所有的人都弹得不错，都应该表扬。第三，如果孩子在台上演奏时有些失误，家长应该在事后只字不提！只当没有注意到。这样孩子就不会有机会重新感受一次失误的可怕；不要担心说这次没有提醒她的失误，她下次会再犯，这可能是个偶然的失误，如果这是技术惯性导致的失误，那钢琴老师会注意到并帮助她改正的。第四，客观地观察台上的孩子。如果她每次在台上要比在家里弹得好，那说明孩子是这个"料"。如果不管怎样准备充分上台还是发料，多上台也都没什么改善，那说明她的确不适合舞台生涯！

做家长的，要多多给孩子创造机会，不管这演出在你看来是否重要，但机会对孩子来说每次都是宝贵的。演出前，一定要有足够多的鼓励，一定要帮孩子做好所有的准备。我在各地教学，发现有一点很多爸爸妈妈都忽略了，那就是服装。千万别让孩子穿运动衫或牛仔裤就上台了。女孩子最好穿裙子，男孩子白衬衫加黑裤子、黑皮鞋，也不是多么正式的小礼服，但最起码得体，这代表着孩子对演出和观众的尊重。如果十几岁的女孩子不愿意穿裙子，那么，一件漂亮的衬衫和稍微有些设计感的黑色裤子也可以。

※ 比赛前，做好这些准备

从参加小比赛开始，帮助孩子循序渐进地适应比赛，得不得奖不是最重要的，不要因为奖项而伤害了孩子对钢琴的热情。

对我们这些琴童家长来说，除了在意孩子考级，也会特别注意给他报名参加合适的比赛，毕竟，名次是最有直观说服力的，也能让我们这些非专业家长直观了解孩子的水准。特别是准备走专业道路的孩子，去见那些著名的老师的时候，不是每个老师都有时间聆听他现场弹琴的，资料里，除了作品录音，就是这些比赛的获奖证书最有用了，也许这些比赛不是什么权威大赛，但每场比赛都能达到较好层次，绝对能够说明琴童的水准。

我儿子今年10岁，明年要考音乐附小了，现在，钢琴培训学校的老师已经提醒我们要多多参赛了，一是有些成绩做参考，二是通过参赛锻炼自己的综合能力。老师提供了一张很长的清单供我们参考，说上面这些，多多益善。不过这也不现实，因为要是都参加，这一年，孩子就完全没时间正常练琴了。所以，我有几个问题想请教茅老师，孩子多大年龄，什么水平参加比赛比较合适？比赛的报名途径主要有哪些？如何衡量一项音乐赛事是否权威，是否有相关的网站可供查询，或是可以通过哪些数据来判断？如果决定送孩子去参加比赛，家长有哪些雷区是不能触碰的？

参加比赛很好，但得奖却不应是最重要的目的，尽管没有人去参加比赛是不想得奖的。对于这个问题我有几个建议。

先参加一些较小的、本市的、学校里的比赛，让孩子在小比赛上得得奖，不要把心放得太远、太高！选择的曲目一定要做到扬长避短。比赛不是要比谁弹得难，是要比谁弹得好。小琴童选的曲子对自己来说再难，在专业评委的眼里看起来仍然是比较寻常的曲目，只是因为一些难度而发挥不佳，他不会给打高分的。

还有，要去比赛了，家长一定要克制自己，虽然希望他得奖，但这份心情不能影响孩子。可以在比赛前，找家里的长辈邻居来，让孩子预演，但千万不能讲，你一定要得第一名啊！这对孩子来说是多大的压力啊，虽然你很想，孩子也很想，但即使没得奖，这也是很正常的。以后在孩子一生的道路中面临的挑战和波折将源源不断，一个小比赛不会影响到孩子一生的幸福！

无论在美国还是在中国，我都有很多担当钢琴比赛评委的经验。音乐比赛是很抽象的，它不是跑步，有明确的标准记录谁是第一名。我们做评委的经验是，初赛进复赛很容易，选手弹了三十秒评委就已经做了决定。一百人里选十个，十个里选三个这都不难，但最难的是三个选出名次来。A评委喜欢激动的，B评委喜欢宁静的，C评委更重视衣服表情或是孩子登台时的笑容。虽然大家对选手的技术水平都很肯定，但究竟打9.2分还是9.3分就是绝对主观的了。好选手也不可能次次都是第一名，但可能经常进前五名。所以，绝对不能因为细微的名次差别，而对孩子作出苛刻的批评。

当孩子学到一定水准，也表现出了相当的才华时，不用家长考虑，老师就会频频让孩子出去比赛。基本上，所有能进音乐学院附小的孩子，在之前都参加过比赛，并频频得奖。在国内，考音乐学院附小、附中，基本上是千里挑一万里挑一，那么多优秀的孩子，最后只有极少数能考进去，就可以知道水平要求有多高了。参加这些比赛，也有助于让孩子多接触一些水准高的专业人士，无论是聆听指导还是寻求其他方面的帮助，更为便利。

具体说到比赛的类型，我觉得很难就具体的比赛进行点名，不过，中国的青少年钢琴比赛在世界上是最多的。每个省市会举办，钢琴品牌会举办冠名比赛，还有一些行业协会举办的比赛。孩子参加比赛的节奏应该是：先去参加选手水准弱一点的比赛，宁愿矮子里抽将军，让他有充足的自信。从这些水平普通的比赛开始，一步步来。

说参加比赛不想得奖，我看不是任何人的心里话。但我想说比赛的意义不仅仅局限于得奖，希望这一点各位家长能够赞同。

琴童小词典：国际钢琴四大赛事

1.　肖邦国际钢琴大赛（波兰）

始于1927年，每5年一届，国际音乐界最有名的比赛之一，堪称波兰最知名的文化盛事。这个比赛为诠释肖邦大师复杂而饱含感情的作品树立了国际标准，不少获奖者后来都在音乐界颇有建树。

2.　柴可夫斯基国际音乐大赛（俄罗斯）

1958年创立，每4年一届在莫斯科举办。现在的比赛项目共有四项：钢琴、小提琴、大提琴和声乐，曲目以柴可夫斯基的作品为主。

3.　范·克莱本国际钢琴比赛（美国）

每4年一届，在美国得克萨斯州的沃思堡举办。1962年创办，为了纪念美国钢琴家范·克莱本获得柴可夫斯基国际音乐比赛第一名而创办。

4. 利兹国际钢琴大赛（英国）

创办于1963年，每3年一届，在英国的中部城市利兹举办，参赛者为当年9月前年满30岁的年轻钢琴家。

下篇

开启音乐人生

（收获篇）

也许，孩子一路以优异成绩走过来后，却只能选择当名普通的钢琴教师；或是激情澎湃的弹奏，只能当做家庭聚会时的背景音乐。遗憾吗？有点。后悔吗？绝不。不管是钢琴家、钢琴老师或是只当一个普通的钢琴爱好者，如果人的这一生能够品尝音乐之美，能够体会音乐带来的无限酸甜苦辣，琴声能够点缀最重要最美好的人生瞬间，那么，儿时的音乐学习就绝对不是浪费时间，绝对不会后悔。

 **第5章 做钢琴家还是钢琴爱好者**

　　琴童在成长路上取得的点滴成就，都是在为家长望子成龙的梦想添砖加瓦。美丽的梦想诚然值得鼓励，然而，必须要认清的现实是，不是每个琴童都能成为钢琴家，也不是每个琴童都有必要成为钢琴家。在艺术领域成名、成家，需要有超常的天赋才华、数倍于他人的辛勤努力，还要有足够好的运气……这些元素缺一不可。

第一节　重新审视钢琴

从懵懂学琴，到经历又爱又恨的练琴阶段，当钢琴伴随着孩子的成长，已成为他人生不可或缺的一部分时，我们全家人对钢琴的理解，又该有所不同了。

✴ 考过10级，还能做什么

业余10级考过后，孩子更能享受钢琴带来的纯粹快乐，这阶段家长就不要再时时担负起催促或监督的责任了，多让孩子弹一些能引起他兴趣的曲目。这样不仅他自己，全家都能跟着享受音乐的美妙。

从4岁半开始学琴，现在孩子已经12岁了，这7年半里，因为孩子学琴，我们全家的业余生活主题只有一个：钢琴。所有周末几乎都是围绕着钢琴过的，小时候，孩子去上钢琴课要接要送要全程陪读，我一年到头几乎没有和朋友们联络；大一点儿，练琴要软硬兼施，要妈妈陪练，虽然不像陪读那么需要集中全部精力，但人肯定是不能离开他的；最近这一两年，虽然弹琴的事情大人不用太烦心了，但小升初的学业压力让孩子紧张，为了调节情绪我们也是煞费苦心。7年半，不光是孩子成长的关键时间，也可以说是我们夫妻最盛年的时段，为了钢琴，真是付出良多，当然，这都是我们自己做出的选择，如果从头再来，我们还是会这么选，付出是我们觉得天经地义的事情。

但是，当上个月孩子考过10级后，我们——我、老公和他都陷入了前所未有的茫然。这7年多，总是念叨着考级考级考级，如今，前方已没有更高的目标，我们还能为什么而弹？学专业，孩子并没有表现出那种天赋，我们也希望还是走常规的升学路线。彻底抛开钢琴，那我们这7年多的付出岂不是没意义了？就在这种迷茫中过了一个多月，这段时间，孩子只是偶尔弹几首他比较喜欢的练习曲，刚才和他聊天，他说手都硬了，要这样下去，可能想弹也弹不出什么来了。考完10级，还要弹琴吗？还要保持以前的练琴频率吗？这张10级证书除了在升学时能够起到一定的参考作用外，对孩子的人生究竟有什么意义？

很多孩子，可能在初学琴时，或是学到第二三年时，就已经确定不会走也不愿意走专业路线了。但他们仍然坚持弹下来，直到考一个还不错的级别，或是索性考过10级为止。坦率地说，我在国内各个城市所接触到的琴童群体里，这种类型是数量最大的。他们有一个共通的特点：

在音乐上有些天分、情商颇高、家长非常支持学琴。

这些孩子坚持学琴至少五六年。现在，10级考完了，但进音乐学院未必是首选，孩子和家长都说不清"还要为什么而弹"，但就此放弃钢琴也很难割舍，这种心情的确会令人迷茫。

我的建议是，该是时候让钢琴真正融入生活了。练琴时间和上课次数不用像以前那么频繁，现在是为自己的陶醉、享受而弹。建议孩子选一两首以前一直想学但又没有机会学的较有挑战性的乐曲，真正用自己的心去学习。我知道很多孩子的情形是，平时已经不练琴了，但高考前，他经常坐到钢琴前弹一些活泼的曲子，问他为什么，他说这样沉浸在琴声里什么都不想，能够让他感觉压力舒减很多。在我碰到的琴童中，不乏在初中的时候停掉钢琴，到了高二高三又捡起来重新弹的。而在美国，很多小时候学过钢琴的孩子就算进大学后选择的是与音乐无关的专业，也都会去音乐系选修钢琴或音乐，为的是调解上课的压力，增添校园生活的色彩。

至于说到孩子长大以后，也有一种可能，就是职业虽然不是钢琴家或钢琴老师，但可能是音乐制片人、音乐经纪人、琴行老板、音乐培训学校校长、音乐厅或大剧院管理人员、音乐书籍编辑等等这些与音乐有关的职业，虽然不需要大量的演奏和技巧，但音乐的专业知识会给他的职业带来无穷无尽的便利和优势。学钢琴为孩子打开的职业道路应该有很多条，成为钢琴家不是唯一的路。

另外，学钢琴还有一个很现实的好处，可能不少家长也隐隐想过。高考的时候，要是孩子学习成绩不是太理想，可以考虑借力钢琴，作为艺术考生进入某个大学。现在我们很多农业大学、海洋大学都开设了音乐学院，这其实是个机会。比如，高考时报考音乐系，争取到这个宝贵的入学机会，以后通过努力学习再转系。总之，很多理工科成绩不是最优秀的学生可以借助钢琴踏进大学校园。

琴童小故事：从钢琴生开始的指挥家之路

阿巴多，指挥大师，柏林爱乐乐团第五任首席指挥，他出生于音乐世家，16岁因为受到指挥大师伯恩斯坦的赏识和肯定，认为他是个天生的指挥家，阿巴多决定以音乐为生。他正式进入威尔第音乐学院，主修钢琴和作曲，并且学习指挥。1955年，他从威尔第音乐学院毕业后前往奥地利，拜入古尔达门下深造钢琴，一年后进入维也纳音乐学院，学习指挥专业。可以看出，这位指挥大师的音乐生涯与钢琴密不可分。

❄ 钢琴，人生应该有这一章华彩

开始学琴、练琴，从钢琴中领悟到了美妙和快乐，那在今后的人生路上，就不要再让这份美妙从手中溜走。

都说学钢琴能够在潜移默化中影响孩子的性格，是情商教育的好方式，我和老公商量后，决定送儿子去学钢琴，即使学不出什么好琴艺，只要能够对他的性格有所弥补和完善，那也是值得的啊。

儿子出生时，我们工作正忙，把他送到爷爷奶奶家长住了一年，由老人负责照看他成长。老人对孙子百般呵护，生怕他受一点委屈。他两岁多的时候，老公的事业发展得不错，我就辞职并把他接回来，因为心疼他从小不在爸妈身边，我也很宠他，在物质上可以说是百依百顺，但恰恰忘了他的情商教育，随着他慢慢长大，上了幼儿园，性格上的很多问题都暴露出来，唯我独尊，受不了一点挫折，而且，做事情一点耐性也没有。送他学钢琴，是希望他能学会自律，懂得交流。弹了这几年，的确看起来好不少，脾气也不那么急躁了，但最近发生的一件事情，让我又担心起来。上个月，我们替他报名参加了一个规模挺大的少儿比赛，他信心满满地去参加，结果不光没夺冠，连决赛都没进，孩子回来觉得特别不能接受，先是把自己关在屋里不吃饭，然后大叫大嚷，抱怨我们不征求他的意见就让他去比赛，现在就吵着让我们卖琴，说以后再也不弹琴了！我们该怎么劝他，难道真照他的意思做么？

看到这个孩子的情况，我想起另一位和他有类似经历的政坛名人，美国前国务卿赖斯的经历。3岁就开始学习钢琴的赖斯，在美国也属于少数派，父母对她的教育，类似我们国内现在的精英教育，她从小就要学法语、弹钢琴、学芭蕾，4岁的时候，赖斯就能弹奏一些简单的曲子了，她取得的成绩也很令人羡慕，曾取得美国青少年钢琴大赛第一名，还开了一个独奏会。按理说，这样的孩子一定会走上职业钢琴之路吧？的确，开始赖斯也是这么计划的，16岁那年，她进入大学学习钢琴弹奏，然而，一年后，她信心满满去参加阿斯本音乐节（Aspen Music Festival），却遭遇了沉重的打击。比她小五六岁的孩子，只需要看一眼琴谱，就立刻能流畅地演奏出她需要苦练很久才能弹好的曲子。赖斯当时的念头就是"我想我不可能有在卡内基大厅演奏的那一天了"。她还曾告诉记者当时她面临两个选择：一是从政，二是当一名钢琴老师帮助学生"谋杀"贝多芬，她毅然选择了前者。现在看来，她的选择真是绝对正确、明智！

赖斯从此转学政治，后来的成就，大家都知道了，她成为美国最著名的国务卿之一。而钢琴，则成为单身至今的她人生最好的伴侣。她自己组织了一个乐团，每周排练，并且举办过私人音乐会。而在工作上，钢琴更是她得心应手的武器，无论是出访法国、去白金汉宫拜访英女王还是出席东盟外长会议，"赖斯弹钢琴"总是新闻报纸最好的题目，也为政治增添了一抹属于赖斯的美丽色彩。她用诗一样的语言描述弹钢琴时的感受："如果你要努力弹奏出勃拉姆斯的味道，就不那么轻松。但它可以转移人的思绪。演奏时，脑子里只有勃拉姆斯或肖斯塔科维奇。这时，我能够最大限度地忘记自己，我珍惜这种时光。"

我觉得，父母不妨把赖斯的故事讲给自己的孩子听。耐挫能力低、对困难反应过激固然是孩子的缺点，但反过来想，这其实是他对自己要求高，力求完美的一种反应。家长只要耐心引导他的情绪宣泄，相信孩子自己会从这些名人非凡的经历中领悟到下一步该怎么走。既然坚持学习了这么久钢琴，以后的人生中，这一章华彩就不该缺席。

第二节　考级，绕不过的现实

即使家长觉得考级并无多大好处，抱着"学钢琴就是为了陶冶情操"的单纯目标开始，但在日复一日、月复一月的学琴生涯中，考级仍然会成为绕不过去的话题。既然如此，就让我们对它深入了解。

※ 考级的好处和坏处

考级的意义仅限于考级。只能证明某某学生考过了多少级，但不证明水平，不证明深浅，不证明对错，更不证明好坏！

我女儿刚考完7级，虽然侥幸过关，但大家都很高兴，不过说真的，我们觉得太勉强了！她自己也没什么信心，只有老师说她可以的，我和老师讨论了几次也不得要领，结果，这半年来，孩子每次上课、每天练琴，来来回回就是7级考试规定的那几条曲目，她弹腻了，我也听烦了。我跟她开玩笑说，将来你就顶多弹成个考级曲库，她立刻反驳我说，就这点曲子，还好意思叫曲库？还好，7级现在过了，总算辛苦也没有完全白费。但……令我没想到的是，现在刚考完7级，老师又紧催着上8级，这次我坚决不同意了，这就像登山一样，明明知道她走到半山腰已经力竭，就该停下来，休息会儿，积蓄下力量，才能够向下一个山峰冲刺啊。这样没有任何保留地把最后一丝潜力抽干，她还能走到山顶吗？

　　我和女儿站在一边，但孩子的妈妈被老师说服了，她的考虑比较实际，因为孩子马上小升初，需要钢琴证书来表示她是全面发展的，而8级，是大家约定俗成的"标准线"。最后，她又说服了女儿，于是，8级战争又开始了。事情开始重复，看着女儿每天愁眉苦脸地和那几条曲目奋斗，我这个一直主张快乐教育的爸爸觉得非常难过。想当初，在送她去学琴时，我还和女儿拉了钩，保证让她快乐地弹，绝不逼她苦练、考级什么的，现在，我不得不食言了。考级到底有多重大的意义，上论坛一看，全是讨论这个主题的，它究竟有什么魔力，让全中国的琴童父母都逃不过？

对任何一件事情，我们都要一分为二，从正反两面来看，既然这么多琴童都在考级路上努力奋斗，我们不如先来分析下它的好处。

1. 考级让孩子有机会把考级的几首曲目做较深刻的钻研，并且能够背谱演奏。这是在学习中的确需要的。

2. 考级也是一个上台的机会。考官虽然人数极少，但也达到了让孩子弹给陌生人听的效果，而且，孩子会有考级的压力，在压力下如何发挥水准对他也是个锻炼。

3. 家长和琴童也能够对同年龄的孩子、同水准的孩子有些了解，总算是把孩子从家里拉出来，比一比，从一个群体的角度来衡量自己的孩子弹得到底怎么样。

但，考级的坏处，在我看来，可能比好处更明显，后遗症更长久……

1. 因为害怕考不过，总想争取更多的练习时间。八月份考级，三月份就开始练。几首乐曲让学生翻来覆去弹上个小半年，到最后没有享受，只有机械的练习，不要说孩子受不了，我们做大人的都已经到了崩溃的边缘。

2. 过于强调考级，对考级以外的曲目涉及得非常少，孩子就只拥有那几本考级的谱子，其他什么也没有，什么也不懂，什么也不在乎。我见过无

数个孩子，在上我的大师班时我问他："你弹什么曲子给我听？"回答是
"六级练习曲"，或"八级奏鸣曲"。我再问："是哪位作曲家写的？"回
答"不知道"。我学了这么多年音乐，殊不知"不知道"这位作曲家在中国
如此走红。

3. 进度太快，根基不稳的后果是很严重的。非常勉强和痛苦地让学生去
考一个不该考的级别，而且是跳着来，2级以后考5级，5级之后考8级，一味地
为了那个数字，结果中间好多断档。摩天大楼的三十层已准备装修，但从三楼
至二十九楼都是空壳子!

4. 考级容易导致家长和家长之间、孩子和孩子之间的攀比，6级也好，7
级也好，6和7只是个数字，至于这些级别意味着什么，代表孩子怎样一个客观
的水准，老师，家长，当然还有孩子都是一片茫然，只知道去比较那个简单的
数字!

5. 学生考级往往成了老师偷懒的最佳办法。一个老师，教十几个甚至几
十个学生，大家考同样的级别，于是就重复练同样的曲子，老师也用不着因材
施教了，当然学生学到的也就仅限于这一点点。

6. 当级别成为孩子学琴的唯一目标时，是不是考完了10级的孩子就真的

把钢琴学好了？许多家长曾在若干年前申明让孩子学习音乐是为了孩子做一个有修养、有品位、有艺术细胞的人，但潦草和勉强的10级考试真让孩子更有修养、更有品位、更有艺术细胞了吗？

※ 如何考级，才能避害趋利

孩子正好练到某个级别对应的阶段了，可能弹得还比这个级别的曲子难度要高些，那么，考级未尝不可，是给他一个肯定也是见世面的机会。

考级的确没多大意思，我个人对这个证书是抱着一种"有固然好，没有，也不代表孩子琴弹得不好"的想法。因为考级来来回回就是那几首曲子，突击练是很容易见成效的，但一旦拿到其他新的非考级曲，是不是能够也弹奏出如此水准就很难说了。而且，现在主考的单位这么多，很难说哪些是真正有资格的哪些是浑水摸鱼的，反正颁发的都是级别证书，你的8级和我的8级，就算不是在同一个机构考过的，但都是8级，在某些所谓素质教育的考核下，具有相同的作用。

我想得清楚，但我不能代表小孩子的想法。儿子出乎我意料地，自己坚持要考级，原因让我啼笑皆非——因为小伙伴们都考。从小在同一个钢琴培训学校学习，上学也是校友，大家在一起弹琴会比，你几级我几级，级别高的人就很得意，级别低的就很惭愧，至于真的琴艺怎么样，小孩子对自己其实是没什么能力做准确评判的。比过几次以后，儿子回家来就嚷着要考级，还抱怨我怎么不早点想着这事。我和他妈妈说服不了他，我现在只好给他准备报名事宜。但是，我真的不想让考级成为孩子练琴唯一的目标，虽然是不得不报考，但还是希望孩子能从中真正收到一点益处。我想请教的是，要以怎样的方式、怎样的节奏考级，才能避开考级里那些人为拔高的浮躁的东西，让儿子在得到肯定的同时，不要落入那些误区？

　　我认为最重要的原则，是学生现阶段的程度和考级的曲目应当是相同的或是接近的。这个时候考级未尝不可。比如，正好练到了巴赫的《二步创意曲》，这也正是5级的曲子，这时报考5级最合适。八月份考试，让孩子在六七月开始弹，把考级的几首曲子着重练一练。注意，不光是把音弹下来，要让孩子真正掌控这些曲子，包括对乐曲的理解、创作背景等都应该略知一二。对曲目的速度、力度和音乐表现也要做到淋漓尽致才对。学到什么样的程度，就报名考什么级，让孩子见见世面，也能够多练习背奏几首考级曲，作为以后的保留曲目也不错。不要年年考，也不用每级都考，要按照孩子自然学琴的行程。

社会考级针对的是业余学琴的孩子，哪怕考到10级，仍然是和专业钢琴对学生的要求有很大差异的，所以，不能也不用把几级作为孩子学琴的唯一目标，达到几级其实什么也不代表! 有的家长告诉我，考到8级证书小升初的时候很有用，我不能否定这位家长的看法，但我也希望这位家长记住，这张考级证书仅仅是为了小升初,在音乐领域里没有任何分量和功力。

而所谓的跳级考，很受家长们欢迎，这样，似乎让孩子学琴更高效了，其实，恰恰是牺牲了最重要的东西。跳级只适合极少数非常有天赋的孩子，事实上，如果这些孩子不用为考级而打乱节奏，而是坚持系统学习，对他们将来可能更有利。另外一种快速连续考级也不那么可取，很多家长把10级作为一个目标，一路不放松地跳级考，勉强考完这一级，连给孩子适应稳定的时间都没有，就直奔下一级别，每天加码练琴，目标只有一个：考完现在的这一级，至于上一级的曲子，忘光了也没关系。这样的话，考级一点意义都没有，而且，往往还会加剧孩子对钢琴的厌恶感。

现在中国孩子考级，基本节奏都由家长来定，爸爸妈妈一定要掌握这个原则：如果孩子程度恰好到此，考级无妨。但千万不要拔苗助长。如果孩子不懂，家长也不是很懂，那还是需要老师给一些专业意见。注意，是"专业"意见，不是"这个孩子在我这里学了两年就把10级考过"等荒谬和可笑的自我吹捧！

此外，对那种所谓"好过"的考级考试要正确理解。我亲身接触过这样一件事例，一位妈妈带着小朋友来弹给我听，说下周考级，让我把把关。结果我听到的错音比对的音多，一小节三拍都弹成了四拍（有时还五拍）！我说：最好不要去考，考不过会伤了孩子的自尊心！结果两星期过去，妈妈告诉我，孩子考了个"优秀"！我哑口无言……

国内考级有个许多专家都提出需要改进的问题，每级考试的曲目就那么固定几个，基本功不好但只要能苦练好这几首，就能过。但在美国考级，3级就有几百首候选曲目，到了8级以上就更多了。发给琴童的考级曲目参考书，里面只有曲名，但中国的这本书里就是曲谱了，数量差别非常明显。同时在国外，考级时还必须考音乐理论、音乐历史和试奏能力。这是一个全面的测试，比起单弹奏几首指定曲目来，哪个更能体现孩子的钢琴水平，我想应该不难判断。

考级的初衷不错！但现有的考级已变成了学生学琴的目的，家长之间攀比的工具，小升初的报名表格之一，老师偷懒的最佳"掩护"。这，还是在培养孩子的艺术细胞和陶冶孩子的性情吗？

第三节　是时候了解专业钢琴教育了

业余和专业中间，隔着一条巨大的分水岭，被老师和家长天天挂在嘴上夸的优秀琴童，真正站到音乐附小的招考考官面前，可能只不过是"还行"而已。不过，如果你的孩子的确优秀到所有人都推荐他走专业之路，那作为爸爸妈妈，你们该慎重详细地了解专业钢琴教育究竟有什么门道了。

❋ 音乐学院附小、附中和音乐学院

音乐学院附小、附中是能够帮助音乐天才们走上成功之路的，但走这条路需要极大的付出，而且竞争激烈，成功率也并不高。所以，在做出选择之前，请家长和孩子们三思。

儿子11岁，学钢琴7年，老师不止一次跟我说，我儿子天赋好，悟性高，

性格也好，吃得了苦，走专业道路相当有希望，建议我们带他去北京（我们家在石家庄），找个好老师突击补习下，报考中央音乐学院附小，他可以给我们介绍一些名师。看得出，老师态度非常诚恳，并不图我们什么物质上的回报，就只是觉得这个他一手启蒙的琴童，如果能有更远大的前途最好了！

老师描绘的情景我很动心，但老公的态度比较理智，他不太同意老师所提的做法，他当然也觉得孩子如果有天赋不能耽搁，但我们两个人都是朝九晚五的上班族，如果送孩子去北京学琴，考进音乐附小，11岁的孩子再成熟也没法自己独立生活，势必要有一个人放弃工作全程陪同，在北京租房居住，夫妻分居，经济负担大大加重，孩子也不能在正常温暖的家里长大，何必呢？又何况，儿子自己又没有非学钢琴不可。而且，老公说在网上查了，音乐附小每年的学费平均是两万多，再加上其他费用，每年投资少不了。他罗列了非常多的不利条件，还有，音乐附中并非直升，附小毕业之后仍然要考，如果考不上，孩子同样也很难走上专业道路。到那时候，孩子就全给耽搁了，转回石家庄仍然走正常升学道路，肯定有许多困难要克服了。这些理由说得我左右不定，我想，还是请老师先指点我们，音乐附小、附中和音乐学院到底是怎么回事？在了解事实的基础上，我们再仔细考虑做判断吧。

音乐学院附小、附中是中国特有的教育形式。中国有九大音乐学院（中央音乐学院、中国音乐学院、上海音乐学院、武汉音乐学院、四川音乐学院、星海音乐学院、天津音乐学院、沈阳音乐学院、西安音乐学院），除中国音乐学院只设附中外，其他都设有附小和附中，招音乐天赋出众的孩子。每年这些学校招生考试时，竞争之激烈令人震惊，而从中选出的孩子个个称得上千里挑一，出去比赛个个都是获奖选手。

毋庸置疑的是，从中国音乐学院的附小附中毕业，基础之扎实也得到了全世界音乐学院的广泛认可。但国外却没有附小、附中，全美国只有几所像柯蒂斯音乐学院那样的天才儿童学校，招收18岁以下的音乐天才，五六岁就可以报考，一旦录取费用全免——这也和国内附小附中相对较高的学费是截然不同的。

培养孩子，其实是考验家长。当然首先要孩子具备基本的能力和条件，但是否能考上，有很多其他的因素。比如家长是否做好了不怕付出的心理准备。在备考阶段，无论是金钱、时间还是精力的投入都是极大的，而且，对孩子的未来而言，这有点像一场赌局，进入了专业化的音乐教育体系，再想回头读普通学校考综合性大学，可能性会很小，或者需要孩子再有巨大的付出。我的意见是，如果孩子没有特别的执着，比如每天不弹琴就很难过，那慎重考虑读附小附中，一旦进了这道门，路就窄了。我本人就是在小学四年级考进的上音附小。坦白地说，现在我的中文和英文都不错，那是因为家庭环境对学识的重视。但可怜我的数理化只有小学六年级程度。虽然现在的附小、附中文化课使用的是普通学校的课本，但因为练琴占用了太多的时间和精力，文化学习难免就会少很多。毕业后，如果不从事音乐专业的话，改做其他行业，会在竞争上处于劣势。如果一个人只会弹琴，别的一概不知，那他绝对不是一个对社会很有用的人才。

能够一路从附小、附中读过来，进入音乐学院，以后是肯定要从事钢琴行业的，但，却未必能成演奏家。其实，每个进了音乐附小、附中的孩子，都真的是非常优秀的，他们对自己的期望值都是演奏家，最好是著名的那种，连去乐队都可能被他们视为失败。但现实是，从音乐学院毕业出来，失业的太多了！哪有那么多演奏家的位置等着你？最后，可能很多人只能选择做教师，拉乐队。

梦想值得鼓励，但一定要预期到最不好的结果是什么，孩子和家长能不能接受，特别是家长，要把自己的思想调理好，给孩子好的引导。

※ 出国学钢琴怎么样

建议最早也要到高中再出国留学，而且学习专业技能和培养孩子的独立能力两者并重。

现在越来越多的高中生去国外留学，读完预科直升当地的名校，朋友里有不少孩子都是走这条路，而且大人孩子的反映都不错。扎实的基本功，让中国孩子在国外的音乐学院很受欢迎，奖学金的机会不少，对大人来说，孩子在国外学琴，而且名列前茅，这会令他们觉得希望满满。我们对奖学金倒不是很在意，但觉得这应该会很锻炼孩子，现在的孩子成熟早，高中生完全可以独立了，比起以前大家都习惯大学读完后再去深造，其实还另有一番好处，孩子适应起来反而更快，至于毕业后要留下来深造还是回国，灵活性也很强。

我女儿现在就面临是否去留学的问题，她现在读西安音乐学院附中，在不少小有知名度的青少年钢琴比赛中也获过不少奖，我们想附中毕业就送她出国留学，之前看到不少在国内很著名的钢琴家，比如李云迪，就有留学经历，他也说过："古典音乐的发源毕竟在西方，钢琴是一种西洋乐器，它的根在欧洲。"大原则确定了，但有一些问题我们仍是一头雾水。具体去哪个国家？美国、奥地利、德国？我在网上搜了不少资料，这三个国家都有很多不错的音乐学院。我女儿这样的情况是不是适合去留学？哪所音乐学院比较好或者是排名较前？是不是申请起来非常难？孩子要出国学钢琴，事先要在哪些方面多努力？需要父母跟着前去照顾吗？留学学钢琴回国后会不会更吃香？现在我们的琴坛海归派都发展得怎么样？这些非常细节的事情，我们都很茫然，希望能够得到老师的指点。

现在中国的大城市，已经很国际化了。如果孩子也有这种意愿的话，出国留学是很好的事情。但不建议太早走，最好在国内能上到高中。有的家长很急切，恨不得孩子还是小学生就去国外学钢琴，这么小的年纪一出国门，中国的文化就会慢慢淡忘了。我建议家长送孩子出去学钢琴，不妨抱着让他见见世面的心态，就算钢琴学不到，让他学会独立也是一大收获。

我在美国这些年，看到国外的小孩子，到了高中，不用逼他，他自动去餐馆打工刷盘子。我有一位朋友的小孩，刚来美国留学的时候，我带他去大学城的生活中心转一圈，他说这些学生怎么不抓紧时间学习却在这里打工，还问这些学生在这里打工不会很难为情吗。几个月后，他自己已经非常习惯边打工边学习的生活。在大学城里，从书店到餐厅，都是招学生做小时工，大家的心态很自然。在国内，不少音乐学院也从国外请有名的教授来讲课，但国外那种大学生完全独立生活的氛围，是几位教授无法营造的。中国的孩子，特别是学音乐的孩子，从小生活在被照顾的环境中，社会经验太缺乏了。不过家长也别害怕，根据我的经验，留学的孩子，第一次回来过暑假的时候，父母就能非常明显地感受到，他成熟了。去留学，父母千万不要给孩子带很多钱，特别是男孩，不要怕他冻着饿着，到了那个环境，只要有一点压力，他独立的速度会非常快。

这是说生活方面。说到专业方面，全世界著名的音乐学院的确不少，分布在美国和欧洲。美国是一个对外来移民和不同肤色的人种接受度都很高的国家，可能更适合中国孩子。相比较，如果孩子选择去奥地利或一些传统意识较强的欧洲国家，虽然音乐传统可能更为丰厚，但所感受到的当地人的态度不会那么包容。正因为如此，美国培养出来的钢琴家会比较开放，比较自我，比较有个性。

出国未必适合每一个人，但出国学习对孩子的成长应该说是利大于弊的。让孩子走出国门，看看外面的世界有多大。学音乐的孩子，就更应该珍惜去欧美学习的机会。

❋ 水平越高，比赛越重要

初学琴时，比赛是为了鼓励孩子；程度较深后，比赛是为了取得有参考性的成绩，同时也是非常有效的锻炼。

孩子10岁半，准备明年报考附小四年级，现在正拜在一位很有名的老师门下提高成绩。和孩子一起学琴的同学妈妈告诉我，到了咱们这个阶段，一定要多送孩子去参加那些规格高的、规模大的比赛。能多拿几个奖，哪怕只是进入复赛圈，对孩子将来入学、分班都会特别有帮助。要是能冲到前几名，说不定还有机会被什么专家看上，至于那些弹着玩的比赛，能放就放吧，一定要把握重点！

我对她的话将信将疑。我们也送孩子去参加过几次比赛，说真的，比赛不是去旅游，订张机票带上行李就能出发了，想要夺得奖项吧，之前就得拿出很多时间来准备。一个比较重要的比赛，提前三个月突击练习是非常正常的。一年参加两个比赛，就有半年的时间会打乱孩子正常的学琴节奏，这对他现在来说是有点太冒险了。但是，要是报了比赛还抱着比较轻松的态度去吧，没拿到奖，首先是白白浪费时间，孩子也会比较有挫败感，到那时就会觉得，还不如不参加比赛呢。

我个人的想法，是不是等孩子考进附小，正式决定走专业道路后，再多参加比赛比较好？至于那位妈妈说的，有成绩比较容易进附小，我觉得肯定也有道理，但人不可能什么事情都做得面面俱到，我相信孩子如果基本功扎实而且有天赋，招考老师是能够看得清的。如果只是因为缺了几个奖项而落选，那，也许我真的该让他考虑其他的方向呢。另外，我觉得进入音乐附小后再去比赛，那时候有学校协调安排，报名什么的也相对简单些，比起家长现在这样到处乱撞有效率多了，不知道我的想法对不对？

比赛，在琴童成长的不同阶段，是起到不同作用的。小时候的比赛，是更多地为了提升孩子的自信心。比如一个少年宫的比赛，在专业上没什么参考性，附小、附中的老师也不可能看重这个，但小时候得奖，对孩子是非常好的鼓励。等到程度较深后，特别是已经确定走专业路线的琴童，一个重要的国际比赛，真的有可能会改变他的命运。

孩子所参加的比赛，可以随着他琴艺的加深，越来越难，奖项也越来越有价值。小时候，少年宫的比赛是比着玩的，但现在，参加北京市青少年钢琴比赛就有人关注，考中央音乐学院的时候，这个奖项就有参考性。

另外，在钢琴比赛中，针对较小年龄组的赛事，获奖选手女孩多。但年龄越大，获奖的男孩子就越多。有名的钢琴家，男多女少，我现在听过演奏的几个天才琴童，大部分是男孩。性别上的差异虽然不绝对，但家长们也可以作为参考。

我曾经担任过很多次音乐比赛的评委，实话实说，音乐比赛的评比不可能做到百分百客观。这不是赛跑，你跑九秒还是十秒，是由计时器来计数的。钢琴是一门艺术，在技术上都很好的前提下，有可能因为评委对细节的偏好不同，而导致打分差异。前面的章节我也提到过，在初赛的孩子里选出那些参加复赛的很容易，这是有技术上的标准的。在复赛里选三个参加决赛也相对不难，但谁得第一，谁得第二谁第三，这非常难，这是有感情因素在内的评比。或者这个选手的笑容很讨喜，或者那个选手穿的衣服给他减分了，第一名和第二名往往不存在琴艺上的差距，而是一些很微妙的元素在起作用。但残酷的现实是，第二名虽然也很好，但和第一名比，可能就签不到巡演，出版不了录音唱片，虽然很遗憾，但这是艺术比赛的残酷现实。

通常来说，越难的比赛，曲目量就越大，准备的时间就需要越长。像国际钢琴比赛这种级别的，提前两三年准备的大有人在。对于程度较深的琴童来说，提前半年左右准备比赛是完全应该的。

琴童小故事：范·本莱克国际钢琴比赛的由来

具有浪漫传奇色彩的钢琴家范·本莱克，传承的是地道苏联钢琴流派。毕业于朱丽亚音乐学院的他，师从苏联著名钢琴教授罗西娜·列文涅。而最为特别之处，是他在苏联发射第一颗人造卫星后的1958年，获得了第一届柴可夫斯基国际音乐比赛的钢琴大奖，成为美国人心目中的英雄，也由此催生了范·本莱克国际钢琴比赛的诞生，成为国际乐坛一段佳话。

第6章 当个快乐琴童比争取做未来的郎朗更重要、更实际

　　相信读到这一章的家长朋友，已经对孩子的钢琴学习有了一定认识。也许你们刚准备迎接新生命的到来，并且对他的未来已经有无限美好的规划；也许你们刚和坐进钢琴教室的孩子挥手道别，对他即将奏出的琴音有美妙畅想；也许你们正处于每天都边心疼边坚持"逼"孩子练琴的时刻；也许，你们的孩子已经在钢琴上取得了不错的成绩，现在正是为他的前途做进一步打算的时候……

　　无论处于哪个阶段，在结尾的这一章，我希望再一次提醒爸爸妈妈们：无论孩子将来在钢琴上能走到哪一步，最重要的，是他快乐，你们也快乐。

第一节　快乐琴童，幸福一家

一个因为学习了弹钢琴，因为会弹钢琴能感受到快乐的孩子，无论水准如何，取得好的成绩，都能够让整个家庭更幸福。

❂ 不练琴之后，如何和音乐相处

总有一天，孩子会自动坐到钢琴前，弹奏一首他曾经觉得枯燥无味的曲子，从中感受到他从未发现的快乐与乐趣。

考完8级，孩子说，再也不想考了，我们尊重他的意见。再说初二学习也越来越紧张，每天再花一个小时练琴，的确是觉都不够睡。至少现在已经确定他不可能走专业道路，对我们来说，都觉得他的琴声已经是那样动听。唯一不习惯的是，听惯了每天准时响起的琴声，突然安静下来，还真有点不适应……

这些不是我特地提问题的原因，我的忧虑在于，孩子这两三个月来，几乎都没碰过琴，他端着水杯从钢琴旁边走过，看见琴，眼里完全没有火花，就像那是个普通柜子桌子一样，他对此完全不感兴趣，这种感觉让我很不开心。不练琴我能接受，但完全不弹……在考级之前我们就沟通过，考级不是目标，但我们希望他能坚持弹弹琴。但现在的情形如此，总不弹，他会不会慢慢就淡忘了弹琴这项爱好呢？那太可惜了，我们可以不听他弹琴改听古典乐CD，但他不弹琴，我不知道这个空当有什么爱好可以完美地弥补。我想，一定有很多和他经历类似的孩子，在不练琴之后，我们应该教他如何和钢琴相处，或者问题再大些，告别了强制弹琴的生活，孩子们该如何和音乐相处？

和音乐相处，这听上去是多么美妙的一件事情。你会考虑如何和好吃的食物相处，如何和漂亮的衣服相处吗？不会，你在看到这些东西的时候，就自然而然会以一种快乐满足的心情去享受它们。音乐亦是如此，动听的旋律会让你在听到它的那一刻起，就被深深地吸引。

至于不练琴之后，有些孩子会因为逆反心理，或是学业过忙，或是暂时有其他的事情分心，把弹钢琴这件事情放下一段时间。但爸爸妈妈别担心，也别刻意去教育他，要不了多久，他会自己想起来的。因为钢琴的美，已深植他心底。弹琴的指法也许会生疏，但那种琴声流淌而给心灵带来的欢愉，永不会消失。相反，因为时间流逝，他逐渐淡忘了因为练琴而有的厌倦、疲累，剩下的，只有纯粹的欢乐。

我接触过很多小时候学过钢琴的人，当然有些长大后成了钢琴家，或者从事和音乐有关的工作，但更多的是做着和音乐没有关系的工作。其中不乏小时候因为被迫练琴，而对钢琴有厌恶情绪的，他们可能在十几岁的时候，发誓这辈子再也不碰钢琴了。然后，总有那样一个契机：他成熟了，恋爱了，失恋了，成功了，失败了……然后，他慢慢坐到钢琴跟前，弹奏一首他曾经觉得枯燥无味的曲子，发现琴声如同温柔的手，抚过他的心灵。

爸爸妈妈要有点耐心，总有一天（甚至有些要等到他自己为人父母时），他会说，谢谢你们当年送我去学钢琴，我很遗憾，当年没有好好努力。

如果非要狭义地就和钢琴相处说说方式，我的建议是，多多参与和音乐有关的事情。在家欣赏古典乐曲、听音乐会、看歌剧舞剧，如果有机会带孩子去欧洲旅游的话，那是最好的机会。我认为每天晚上都该去听场音乐会，也未必要买很贵的票去听大剧院的，像德国、奥地利这些古典音乐氛围浓厚的国家，哪怕是一个普通的小型音乐会，都有不错的水准。

❀ 钢琴让全家更快乐

女儿弹钢琴，爸爸唱歌，妈妈做听众。钢琴让家庭聚会有更多欢笑的美好画面，也许我们只能在电影上观赏，但对我们的孩子来说，那将是他们的真实生活。

每次看《音乐之声》我都挺感动的，全家聚在一起，有音乐相伴。在不少欧美电影里都有类似的镜头，像圣诞节或是复活节这种日子，全家齐聚一堂，爷爷或奶奶弹钢琴，小朋友唱歌，观众就是家庭成员，那种家的氛围真是非常吸引我。反观我们现在呢，都是小家庭分开住。难得回去见次父母，但每次都是匆匆忙忙的。再说，和父母见面，也都只是大吃一顿，聊聊工作和生活中的一些事情，虽然我们彼此非常相爱，但觉得就是缺少了那种……人情味。父母那代人的生活经历我没法改变了，但是我希望我能把这种温暖又雅致的家庭生活理念传达给我的孩子。我最终想到的就是送她去学钢琴，并且在脑海里想象着这样的画面：女儿弹琴，老公和我在旁边聆听，给她鼓掌，等她有了亲爱的人，他们四手联弹……这景象多美妙，即使我们将来离去也不害怕独生女儿会孤单，因为她除了有家人相伴外，还有音乐。老师你觉得我们的梦想能够实现吗？我们的下一代能够在生活中这样与音乐相处吗？

在美国生活这些年，我感受到音乐已经成为许多家庭不可或缺的东西。即使是全职的家庭主妇，也都是在音乐方面很有素养的，学钢琴非常普遍。一对老夫妻，互相搀扶着回到家，坐在钢琴前，翻开四手联弹乐谱，两人合奏一曲，那是非常幸福的事情。重要的是这一氛围。弹得好不好，能打几分，这根本不重要，重要的是幸福。我先生的父亲在学校里学过大提琴，母亲是家庭主妇，但琴谱拿过来就能弹，合奏的场面非常温馨。

而我们现在正在送孩子去学琴的这一代家长，70后、80后，一般说来，在自己成长的阶段，是基本没有什么条件学钢琴的。但当80后有了孩子，孩子长到四五岁时，基本上都会选择给他报个班，学一样乐器，其中，钢琴是最受欢迎的。这中间有很多原因：钢琴是古典音乐最具代表性的乐器；钢琴考级在很多时候可以帮助孩子争取到较好的机会；不少钢琴家成为社会名人具有示范效应；当然，也有很多家长，就是抱着让孩子多多领略音乐的美妙以及培养艺术气质的目标。无论原因是什么，都是现实存在的，有其合理性。对70后、80后的家长来说，你们已经很对得起他们了。钢琴家科马尔·杰基克曾说过一句有点偏激但不

无道理的话："我们都是业余爱好者……我们弹琴不过是因为热爱钢琴而已。"

而这些学钢琴的孩子，至少他的生活中有钢琴的存在，对古典音乐有基本的了解，他们不再是音盲。听音乐会的时候，能明白三重奏是什么，能懂得交响乐和协奏曲的区别，能懂得贝多芬和巴赫的不同。当他们自己有了孩子以后，也会非常重视音乐教育，中国有句俗话，三代学会穿衣吃饭，更何况音乐这种艺术领域的修养呢？

第二节　业余钢琴家

不是每个观众都长着一双钢琴比赛评委的耳朵，只要旋律足够让他们欢愉，掌声就会很热烈。家人、朋友、同学……每个琴童都有成为业余钢琴家的机会，只要你肯。

※ 哪些曲子适合业余爱好者表演

弹奏听众们比较熟悉的乐曲，容易引起大家的共鸣，而听众的反应也会使表演的孩子更有情绪。

俗话说，女儿要娇养。这个娇，可不仅仅是娇惯，主要是说要为她创造更好的成长环境，我们夫妻都很相信这个说法。女儿12岁了，我们经常带她去参加一些比较正式的社交活动或者朋友举办的家庭派对，当大家听说她学钢琴的时候，都会欢迎她现场给大家演奏。不过，女儿弹来弹去，都是那些考级的练习曲，熟悉旋律的人不多——毕竟我们这一代，虽然都读过大学，有一定的修养，但是古典音乐真的是很陌生的东西，除了极少数的爱好者外，大多数人对古典音乐的名曲完全是陌生的。弹完了有掌声，但多半都是礼貌性的，是觉得能弹出来就不错，至于表现到不到位，他们是完全没感觉的。结果，这样的局面持续到后来，孩子都不愿意上台了，她跟我说："妈妈，叔叔阿姨们好像不喜欢听我弹琴，我弹的时候，他们都没有笑，我弹得特别得意的时候，他们的表情也看不出任何变化。"我两方面都能理解，要是别人的孩子弹一首我没听过的曲子，我也只会礼貌地表示一下。不过，孩子弹得确实很认真，我能听得出来，她比练琴的时候投入多了。像这种情形，应该怎么解决呢？我难道要给朋友们搞音乐培训吗？还是教育女儿你弹你自己的就好？

我赞成小孩子在表演的时候，包括在平时练习的时候，可以多弹中国曲子，毕竟不能脱离具体的文化背景，特别是大多数孩子的父母对古典音乐并不那么在行，许多钢琴教材上的曲子，在欧洲国家，大家耳熟能详，但在国内，很少有人熟悉。那换个思路，弹在国内大家都很熟悉的曲子，不是很好吗？我们并不是没有这种曲目，像《牧童短笛》、《兰花花》，甚至是旋律更简单些的《白毛女》、《解放区的天》，旋律尽人皆知，而用钢琴弹奏又是比较新鲜的形式，很容易把大家带进氛围。如果是大孩子，不愿意再弹这些小儿歌的旋律，甚至可以选择一些非传统非古典的，比如韩剧里的钢琴曲，像《冬季恋歌》里的插曲《从开始到现在》，或者是《天堂的阶梯》里的《想见你》，这些旋律因为在热播电视剧里经常出现，所以会赢得很多非专业听众的喜爱。又有人如果对理查德·克莱德曼情有独钟，弹他的曲目也未尝不可。如果没有时间练琴，弹一些古典音乐里较为大众熟悉而且旋律不那么复杂的，像是《月光奏鸣曲》第一乐章、《少女的祈祷》、肖邦的《小狗圆舞曲》等等，这些名曲在各个演奏会上频繁出现，即使听众说不出名字，也会有个大概印象，参与感自然就加强了。

总之，没有了考试或考级压力的学生们，这是你们尽情享受弹琴的时候，是你们品尝"硕果"的时候了！找一个喜欢的曲子，名副其实地做一回演奏家！

另外，我觉得未必一上台就是独奏，就要一个人为大家表演。如果亲朋好友里有演唱家、小提琴家，可以争取为他们伴奏的机会，或者是和其他乐器合作演奏。找几个弹钢琴的好友，合作四手联弹，六手联弹、双钢琴，其乐融融！

❋ 业余钢琴家里的大名人

无论是政界、商界还是著名运动员和时尚偶像们，其中为数甚多的人在小时候都曾学习钢琴，而钢琴也为他们那耀目的职业生涯增加了不少光辉。

我发现教育现在的孩子，不能说大道理，一定要讲故事，要用他喜欢的能接受的方式。不过想想也是，像那些国际品牌做营销，哪有强调东西用的是什么材料技术指标怎么样的，不都是讲故事，用感性的广告来影响消费者吗，让你觉得买了这辆车、这个包、这支笔，你就成为广告里所描述的那个人了。人同此心，所以，我打算再和孩子说学钢琴对他多有好处，就不再讲那些实在的，什么手指的活动能够刺激大脑皮层中的运动中枢，提高智力发展啦，什么弹钢琴的练习能够调动大脑协调眼、耳、口、手、脚的同时参与，激发想象力和创造力啦，我自己说得都要打哈欠，几岁的小孩子怎么能够听得进去，还不如告诉他，弹得好，今天晚上奖励冰淇淋来得实在呢——当然，用冰淇淋当奖赏也不是正确的办法。

我决定采用讲故事的方法来教育孩子，多给他说些名人学钢琴的故事，不光是那些音乐家的，贝多芬、李斯特、舒伯特我知道都有不少励志故事，我还想给他讲一些非专业钢琴家的名人学音乐的故事，比如科学家爱弹钢琴哪，运动员也会弹钢琴哪，要是孩子熟悉的人就更好了。想请教老师，有哪些著名人物，小时候弹钢琴弹得不错的？

在之前的章节里我们聊到过赖斯，这位黑人女政治家不仅把钢琴当成自己生活里的重要爱好，而且在外交活动中也频频以此妙招建功。事实上，各领域的顶尖人物里，都有不少钢琴水准颇佳的代表，科学家在音乐方面的天赋看来都很强，最典型的是爱拉小提琴的爱因斯坦，不过，弹钢琴的阵容更强大。量子物理学的开创者、诺贝尔奖获奖者马克斯·普朗克，除了是物理学家外，人们甚至称他为音乐家。他的钢琴水准十分之高，音乐理论方面也很强，他曾为多首歌曲和一部歌剧担任作曲。虽然在大学时，他还是选择了物理作为一生的方向，但钢琴在他的生活中也相当重要，在进行研究工作时，他还常在家中举办音乐会。普朗克弹钢琴，爱因斯坦拉小提琴，这两位大人物的二重奏，在科学史和音乐史上都是佳话。此外，像我们国家的钱学森教授，夫人蒋英是音乐教育家，他本人则是著名的古典音乐爱好者，爱好弹钢琴，周末的时候，夫妻俩一个弹，一个欣赏，享受难得的轻松时刻。

许多时尚偶像也会弹钢琴，你知道著名的网球手费德勒会弹钢琴吗？他小时候可是认真学过，同时，他还喜欢吉他和小提琴，在打球之余，他的爱好就是观赏音乐剧、歌剧和听摇滚音乐会，当然，偶尔也会展示下他弹钢琴的功夫。另一位女网球手汉图切娃则把钢琴当成除了网球之外的最大爱好。

政界人物钢琴好手也不少，俄罗斯总理普京在慈善音乐会上弹钢琴的新闻，成为不少新闻媒体的头条，我也在新闻上看到了，水准如何且不评论，至少他很会选曲，普京弹奏的也是苏联时代的爱国名曲，与他的身份相符，又能够引起观众共鸣，我觉得他有表演方面的才华。美国前总统尼克松则从小学习钢琴，他的姨妈是一位钢琴演奏家，小时候，他就被父母送到姨妈家长住学习钢琴。据说在十来岁的时候，尼克松常常久坐钢琴旁，试图创作属于他自己的钢琴曲。当入住白宫后，尼克松最为人们津津乐道的就是圣诞晚会上，他总是负责弹琴的那个人。而当工作人员举行生日派对时，他也经常会客串一首《生日快乐》。

✺ 郎朗效应

　　既然这是一本有关中国孩子学钢琴的书，我想我们不得不提一下中国钢琴界最具代表性的人物：郎朗。不可否认，郎朗的走红，使得中国又掀起一阵学琴热。郎朗在乐坛上是难得的奇才，虽然很多音乐学院学究派的同行，都对郎朗有负面的评价，说他太商业，但我经常是站在郎朗这边的人。因为他使更多从来没听过钢琴的人懂得了什么是钢琴，因为他，我们又培养了一批音乐爱好者。因为他，我们不再认为搞音乐的都是高高在上的、趾高气扬的。我个人倒是觉得，那些给予郎朗负面评价的音乐学院的教授，自己却都梦想有一天像郎朗一样被世人瞩目。

他跨越东西方文化，跨越古典与流行，跨越两代人，爸妈喜欢小孩子也喜欢。郎朗是个偶像型的人物，这么多年，有名的钢琴家也出了不少，但像这样有名的却是罕见。当中国的家长走在飞机场，随处可以看到郎朗的广告，打开电视，随时可以看到郎朗身影的时候，不可避免地，就会盼望自己刚学钢琴的孩子，以后也有郎朗这么出名就好了。

但我想从一个专业的角度和大家聊聊，你的孩子成为郎朗的机会到底有多小。郎朗的好，一方面在于他弹得一手好琴，一方面在于他的性格，一方面在于他的气场，还有小时候被爸爸逼迫每天练琴十小时的惊天动地的故事。他很帅，他很酷，他很随和，他不喜欢穿燕尾服上台，他有"郎朗"这么一个中国人和外国人都叫得朗朗上口的好名字。这一切都奠定了他的成功，他的与众不同的地位。

像郎朗这样的人物几乎不可能被复制。如能轻易被复制，那郎朗就不是郎朗了。我相信这个世界上有人弹得比他更好，但性格没有他好。有人懂得比他更多，但没有他的机遇。如果你为孩子买了一架钢琴，同时萌生了让孩子成为

郎朗第二的梦想，那你的失望率几乎是百分之九十九点九九九九！

我建议家长们，对自己的孩子要有客观实际的认识和不太离谱的愿望。如果你的孩子以后真成了郎朗第二，我为你高兴。但是他如果因为学琴成为一个真正有资格判定郎朗好坏，成为一个懂钢琴的人，那更值得庆幸。

后记

在黑白琴键上，弹出我的彩色人生

对很多人来说，弹钢琴是舒闲生活的点缀，是高尚典雅的享受。但对我来说，弹钢琴是习惯，是工作，是每天不得不做的事情，是生命的全部。我所说的，我所想的，我所做的，好像都和钢琴有关。

音乐给我带来的满足是不可被替代的。它可以让我哭，让我笑，让我振奋，让我伤感。人生很短，经历的酸甜苦辣越多，能够打动我的事情、让我激动的事情也就越少。很幸运我从事音乐这个行业，不管到了任何年龄，琴声总能给我新的灵感，让我从中领悟、感念。

因为在音乐的陪伴中长大，我成为了一个情感极其丰富的人。我常说，搞音乐的人能感受到比别人更多的欢乐和悲伤，因为我们特别敏感。我的琴与情，让我的人生如此多姿多彩！

❄ 3岁半开始的音乐生涯

我3岁半就拿起了小提琴，爸爸拉一句，我跟着学一句。没过多久，爸爸就发现我的乐感、听力和记忆力都很好，就认准了我应该学音乐。

4岁生日以后我"改行"开始学钢琴。理由很简单：我嫌站着拉琴太累，想坐着拉琴。爸爸说坐着就不能拉小提琴，只能弹钢琴，我说"那就钢琴吧"。这一坐就是一辈子！

妈妈是个音乐老师，从小学钢琴。所以开始的时候，是妈妈教我。但学了一段时间后，妈妈意识到自己的孩子反而不好教，便请了一个老师。妈妈，从此成了陪练员。

我走上音乐这条路是长辈们共同的意思。爷爷茅以升虽然是桥梁专家，是中国大名鼎鼎的科学家，但说到音乐他却是个门外汉。不过他认为一个人必须要有真才实学，要有真本领。不管选择哪一行，都必须做到最好！爸爸认为我的天赋很好，适合学琴。他总说：学音乐需要99%的天才，而我恰恰具备学音乐的条件。而妈妈的看法更实际，她觉得对女孩来说，无论年轻年老，会弹琴就意味着与众不同的气质！如果把音乐作为专业固然好，作为业余爱好也不错。

就这样，4岁刚过的我开始了一生的钢琴之路。

爸爸是上海音乐学院的教授，每天要去学校。我练琴的事情主要由妈妈负责，她每天陪我练琴，每堂钢琴课一定坐在旁边。虽然在上课时她从不发言，但我随时抬头都能看见她，这让我觉得很踏实。如上课表现不错，妈妈的奖励就是五角星，或者去文具用品商店给我买块橡皮，买支铅笔。如果上课表现不好，没有五角星也没有奖品，但我从没有挨过打。虽然有把戒尺放在钢琴上，但我从不知道被它打是什么滋味。

我对钢琴的记忆，以极明亮的色调开始。回想小时候的生活，虽然有小孩子对于练琴的厌倦，但并没有什么痛苦，而且渐渐长大后，对钢琴的爱越来越深，也越来越感谢爸爸妈妈把我带入了音乐世界。

❀ 电影让我莫名其妙出了名

很多人知道我，不单单是因为钢琴，还因为我拥有一项中国电影史上的纪录——"年纪最小的金鸡奖最佳女配角"。那是在我5岁时，因为偶然的机会，我被导演挖掘去拍电影，前后一共拍了7部，其中，因为《巴山夜雨》里小娟子的角色拿了首届金鸡奖最佳女配角奖，用现在的话来说，我这也算是艺术生涯里的成功跨界吧。

开始拍电影很偶然。那时候相簿很少见，大家的照片都是压在桌上的玻璃板下面，我小时候头发很卷，拍了张照片，有个邻居喜欢，就送了张给他。结果，《从奴隶到将军》的摄像师在这个邻居家做客，他觉得照片上的小孩子很像张金玲（《从奴隶到将军》的女主角），正好有场戏，需要一个这样的小孩子，问我的父母愿不愿意让我去试试，玩玩。妈妈说：去见见世面！在片场，导演让我哭就哭，让我笑就笑，他们觉得这小孩胆挺大，皮挺厚，适合拍戏。顺理成章地，又被看中拍了第二部《等到满山红叶时》。

让我出名的是吴贻弓导演的《巴山夜雨》。我演小娟子，戏挺重的。这部电影公演后，我只要走在马路上，就有陌生人过来要抱抱我或者摸摸我，我其实对这样的反应很不理解，甚至是不喜欢。那段时间，家里是记者不断，把门槛都要踩烂了。《大众电影》拍我当封面，年历上到处都有我！上台领金鸡奖的时候，更是开了眼！在那个年代，能有几个小孩子有机会在万人舞台上又唱歌又弹琴？

后来，我还拍了《西子姑娘》《一盘没有下完的棋》《杜十娘》《复仇者的忏悔》几部电影。电影让我一夜成名，我却没有为之付出任何努力。我小时候的名出得有些偶然，有些不可思议！不过，电影生涯灿烂而又短暂，因为家人对我拍电影的态度始终是"壮壮胆，见见世面，但终究还是要考音乐学院，走音乐的道路"。爷爷经常说，人一定要有真才实学，拍电影不是真才实学，靠不住。我们家族的传统里，也从没有女孩子嫁得好就行这种观点，无论男女，都要有自立的本事。钢琴就是他们和我一起选择的目标。即使在片场拍戏的时候，妈妈也总是带着纸做的琴键，琴谱，以及语文、数学课本陪着我，虽然我觉得不练琴不上课真好玩，但在这样的教育下，还是没有因为电影而扔下了钢琴和文化学习。所以，拍了这么多部电影后，我最后还是选择了考上海音乐学院附小。但这也不是一件容易的事，那么多人考，只招前10名。能考上音乐学院附小，是我小时候最值得骄傲的一件事情。

有很多人后来问我，后不后悔没接着拍电影，如果接着拍的话，很可能我就成为一个大明星了。我说不后悔，我感谢父母为我做的决定。弹钢琴，才是我可以拥有一辈子的、可以享受的、可以借此证明自己的本事。

❋ 不平常的童年，我的平常心

进了音乐附小，电影不再拍了，但光环一时还没散去。从小时候开始，我就有两件事让小朋友觉得我不太一样：一是我的爷爷是茅以升，二就是我拍过电影。我记得小时候在学校我就有特权，校长经常接到电话后就通知我，下午不用上课了，爷爷来上海，去见爷爷吧！而小学课本上的《赵州桥》这篇课文，我是理所当然被指定的朗读人。此外，还有很多观众来信寄到学校里，指名要给那个《巴山夜雨》里的小演员，我还给影迷们回过一些信呢。

这样的童年，的确和别的孩子不太一样，特别在那个年代里。但我也不觉得这样就值得骄傲或是如何了不得，只是简单地觉得不太一样。从小看着爷爷做事做人，他这么有名的专家，从来不摆架子，耳濡目染，就不会觉得自己有什么了不起。我记得他曾不止一次跟我说，我们家，就我们一老一小最出名，但你要记住，做名人是运气，不代表自己是这个行业最好的。

在这些有趣的回忆之外，印象最深刻的当然还是练琴。小孩子哪有不贪玩的，我练琴也是需要家人逼的，但我一直是个"容易被逼"的小孩子。我曾经有过一个钢琴老师，他可是出名的凶！经常骂学生，骂到最后还会把琴谱往外扔！但我就是唯一一个没让他发过脾气的学生！我想，这一方面是因为我受到的教育，做事情就要做好；另一方面，也是因为小小年纪就很懂得要面子吧。现在的我评价小时候的我，我可以给"优秀"的评语，不是因为家庭背景，也不是因为拍过电影，单纯地，就是因为我能把自己该学的、该做的，都学好做好。

14岁那年，我参加了一场难忘的演出。在日本著名指挥家福村芳一的指挥下，我和上海交响乐团合作演出了《拉赫玛尼诺夫第二钢琴协奏曲》。和乐队合演的机会并不常见，有些人一辈子也没合作过，而我，14岁就有机会在这么大型的音乐会上，用表演宣告：我现在是个小钢琴家了！

就这样，在学钢琴10年后，我知道，自己真正爱上了这个事业，这种生活的方式，这绚丽的舞台，和这样的琴声。怀着热爱与愉悦，每天练练练，结果是那样地好，那样地让我满足。上台，弹奏，这么多双眼睛看着我，这么多人注意我，在掌声里向观众鞠躬致谢，然后缓缓走下台的那种幸福，我至今觉得是这个世界里不可被替代的满足和愉悦！

❀ 去美国，一切重新开始

我的家族很有名，我的许多长辈，都是著名的专家学者。我的爸爸茅于润，毕业于美国朱丽亚音乐学院，回国后在上海音乐学院教书。1987年受邀赴美国杨伯翰大学任教，两年后，妈妈带着我一起去了美国。那时候，我还不到15岁。

我一到美国就想独立，就希望打工。终于得到一个去中国餐馆端盘子的机会。我当时什么都不懂，吃了不少苦。有一道菜叫铁板牛柳，用的盘子是非常烫的，但我不知道，伸手就去摸，从小弹钢琴的手，立刻被烫起了一个大泡。就这样慢慢地锻炼自己，虽然苦，但如果你认为人贵自立的话，就能容忍。我反而觉得在餐馆打工的日子里我学到了太多在课堂学不到的社会经验。许多中国客人会和我聊天，我说我姓茅，他们随即问，是不是茅以升的这个茅，我说那当然，茅以升是我的爷爷。惊讶之余他们问我：你怎么在这里打工？我就反问他们：我为什么不能在这里打工？他们哑口无言！

美国人不知道茅以升是谁，不知道《巴山夜雨》这部电影，不知道我是上音附中的高材生，不知道我的爸爸是教授，这一切都已荡然无存，这一切都已无人在乎。我只是一个普通的留学生，打工养活自己，同时为学业奋斗着。现在回忆起来，我很为十五六岁时的自豪，那真是一个拿得起，放得下的坚强女孩！

※ 得奖，拿博士，成为施坦威艺术家

我从19岁就开始参加各种钢琴比赛，有的得了奖，有的没得，但每一次比赛都给了我经验，让我快速地成长。在获得了几个较重要的奖项后，我开始频频演出，又积累了大量舞台的经验。早在大学毕业前，我就已开始在欧美的巡演。

但我最重视的一件事，始终是博士学位。茅家是个学术家庭，博士数不胜数。我是我们这一代最小的，但学历可不能落在大哥哥大姐姐之后！念硕士和博士我总共花了六年，说难我没有觉得太难，说容易当然不可能。还记得博士答辩的那一天，当回答了三个小时的问题之后，五个教授一起站起来，和我拥抱，说："恭喜你，茅博士！"这种得意和骄傲是常人无法想象的！

但我最大的荣耀莫过于"施坦威艺术家"的称号。能和世界上一流的钢琴家们一起站在这样一个行列里，我作为一个弹钢琴的人，别无他求！

※ 回国，发现我的钢琴使命

我的钢琴生涯是比较顺利平坦的，没离开过校园。在美国南加州大学读音乐艺术学博士时，我一直在学校担任助教。毕业后又开始在学校任职，成为了

音乐学院里少有的几个中国教师之一，同时也是最年轻的。从2006年至今，我把更多的精力放在了中国。作为一个钢琴家，我觉得我有义务和责任把古典音乐带到中国的每一个角落。古典音乐在欧美已渗透到每一个人的生活中，但在中国我觉得还只是起步阶段。大剧院容易造，要让大剧院里每天都上演精彩的节目，每天都有专业的听众去欣赏就不简单了。我在中国除了与众多交响乐团合作以外，还大量地开我个人独奏音乐会。音乐会上我会与观众交谈，和大家聊聊我，聊聊音乐，聊聊我的曲目。我觉得大多数古典音乐家都太"古板"，太"傲慢"，也太"孤立"，使人感觉舞台上的人和舞台下的人格格不入。

作为一个教师，我在国内的使命就更深远了。在国内钢琴家不少，但我认为是好老师的寥寥无几。尤其到了中小城市，琴童人数不少于大城市，但要想找一个能正确引导孩子走上音乐道路的老师几乎不太现实。我每到一处，除了开音乐会以外，都必须要开一节公开课，与孩子、家长和老师交流。

我热爱中国的听众，热爱中国的琴童，热爱我的事业。现在的我，比任何时候都要更充实，更幸福，更满足。

附

茅为蕙博士简历

茅为蕙博士是集艺术修养、音乐理论和演奏技巧于一身的青年钢琴家。她的艺术成就来源于天性中对于音乐的敏感和热爱，得益于早年在电影和表演艺术中的经历，完善于对钢琴艺术完美与创新的追求。

深受祖父茅以升先生"边学习，边实践"的影响，茅为蕙在音乐上的成长走的是边上音乐学院边参加演奏的道路。早在获得学士学位前，她就已多次被邀请在世界著名指挥大师的指挥下与犹他州州立交响乐团、奥地利室内乐团、泰国曼谷交响乐团、加州莱恩交响乐团、犹他州爱乐乐团、犹他州室内乐团等十几个著名乐团合作演出。

丰富的演奏经验、纯熟的技巧和独特的艺术魅力使得茅为蕙在多次国际钢琴比赛中获奖。其中包括1990年在盐湖城举行的吉纳巴乔尔青少年国际钢琴比赛第二名，1993年在路易斯安那州举行的第五届蒂伯茨国际钢琴比赛第一名，1995 年在纽约举行的首届A.P.P.T.A. 国际录音录像比赛第二名，1996年在洛杉矶举行的李斯特钢琴比赛第一名和"帕格尼尼练习曲"最佳奖。

　　生就婉转含蓄的内心世界，又沐浴于西方真诚奔放的阳光雨露，茅为蕙的钢琴演奏向她的外在世界放射着充满诗意的、时而"欲说还休"时而奔腾不竭的艺术光彩。每到一处，无论是在西方现代化都市伦敦、日内瓦、维也纳、纽约、洛杉矶、旧金山，还是在青山绿水环绕中的东方城镇曼谷、胡志明市、香港、杭州、厦门，茅为蕙手下的音乐永远带给听众清新的享受。

　　1981年，童年时代的茅为蕙曾以扮演电影《巴山夜雨》中 "小娟子"姑娘，荣获首届金鸡奖最佳配角奖。1999年，年轻的茅为蕙再度被评选为世界上屈指可数的施坦威艺术家（Steinway Artist）。20年间风雨无阻，能出入于不同的艺术领域，并且都取得了辉煌成绩，更说明艺术之间的相辅相成对她的造就之功。

　　2002年，茅为蕙在频繁的演出和比赛中顺利荣获美国南加州大学音乐艺术学博士，继而又受聘在南加州大学音乐学院钢琴系任教至今。

　　近年来茅为蕙逐渐地活跃在中国的音乐舞台上。凭借和世界各国近50个交响乐团合作过的丰富经验，她先后被邀请与中国国家交响乐团、上海交响乐团、深圳交响乐团、上海歌剧院交响乐团、厦门爱乐乐团、青岛交响乐团等合作。中国著名指挥家郑小瑛、陈燮阳、俞峰、张国勇、胡咏言、姜金一等先后为她执棒指挥。2010年9月，茅为蕙和中国国家交响乐团合作首演了著名作曲家关峡先生的第一钢琴协奏曲《奠基者》，获得巨大成功。

　　茅为蕙的音乐成就得到了媒体的广泛关注。中外著名刊物《人民音乐·留声机》、《音乐爱好者》、《杰出华人》、《都市丽人》、《旭茉JESSICA》、《LADY 格调》、《嘉人》、《女友花园》、《音像世界》、《淑媛》、《首席》、《瑞丽》、《钢琴志》、《乐器》、《国际人才交流》、《商品评介》、《外滩画报》、《生活》、《时尚cosmo》、《好主妇》、《父母必读》、《母子健康》等近百家媒体相继以整版篇幅介绍了她的艺术经历和演奏风格。2010年10月受邀参加凤凰卫视《鲁豫有约》访谈节目。

　　除了在国内各大音乐学院频繁进行大师班讲课、讲座以外，从2009年起茅为蕙相继在上海、青岛、杭州、中山、大连、长春和石家庄等城市创办了"茅为蕙钢琴艺术中心"和"茅为蕙钢琴工作室"，为更多钢琴学生和钢琴老师带来了茅老师在教学中新颖的理念和特有的感染力。

中外媒体评价

　　拥有最缜密的西方哲学头脑的茅为蕙在钢琴前幻化成一位充满浪漫色彩的东方诗人。细听之下，她的琴声中流淌着的还有：中国的山水意象，水墨情怀，以及中国女性特有的灵性。（《留声机》杂志，2006年11月号）

　　茅为蕙的"李斯特"深沉、雅致，同时充满了女性的豪放。她的演奏有一种发自内心的喜悦。旋律在她的指尖变得柔美、舒展，她亢奋的李斯特带来了少有的灵气。（《深圳商报》，2006）

　　茅为蕙的演奏风格热情奔放，但又不自觉地有着东方式的内敛。这种介于外向和文雅之间的魅力深深吸引着她的观众。（《杭州日报》，2006）

　　茅小姐用她的琴声把爱恋、伤感和激情一起带给了她的听众。她的音乐和她眩惑的气质共同在古典音乐舞台上创造了奇迹。（《越南时报》，2005）

　　茅小姐的演奏使她的听众们时而振奋，时而痴迷，时而伤悲，时而陶醉。（《曼谷日报》，2003）

纯音响中的戏剧性。（《世界日报》，美国，1999）

这位不平凡的钢琴家又点燃了浪漫时期的钢琴技巧。（《理查门德时报》，美国，1997）

茅小姐的惊人技巧可以把任何乐曲带入辉煌的艺术顶峰。为了表露她的天才，她总是成功地塑造和感知到每一句音乐线条。（《盐湖城论坛报》，美国，1996）

茅小姐的成熟演奏并不符合她的年龄。当乐曲要求高难度的技巧时，为蕙的表演则是光辉闪耀，而无任何单纯显示技巧的痕迹。(《盐湖城日报》，美国，1993)